U0132453

故宮・宮殿

主編　于倬雲

商務印書館

前言

中國歷史上曾經有過很多著名的宮殿建築，如秦阿房宮、漢未央宮、唐長安城、宋汴京城以及元大都等，但是我們今天只能從文獻和遺址中略知這些宮殿的梗概。只有明、清兩代的紫禁城宮殿至今尚保存完整，巍然屹立在北京城的中軸線上。紫禁城宮殿是中國現存規模最大的木結構建築羣，也是世界罕見的古代宮殿建築羣。

紫禁城宮殿雖然建成於十五世紀二十年代，但它卻是集中國古代傳統宮殿建築之大成，佈局和建築技術都是繼承了歷代宮殿建築的優秀成果而又有進一步的創造，在中國建築史上佔有極重要的地位。

為了全面、系統地介紹紫禁城宮殿，並由此展示中國古代傳統建築的高超技術和藝術，故宮博物院與香港商務印書館決定合作編輯出版這部《紫禁城宮殿》。本書由中國文物保護技術協會副理事長、故宮博物院古建部副主任、高級工程師于倬雲先生主編並親自撰寫導論，綜論紫禁城的營建沿革、規劃設計思想以及有關方面的建築藝術。

本書精選大量照片展示紫禁城內主要宮、殿、樓、閣、門等各類型建築物的外景、內景、裝修、裝飾、陳設以及有關的設施，並分章撰寫專文作深入淺出的概述。除此而外，另有圖片説明作為輔助性的解説，以增加知識性和趣味性。除攝影圖片外，也有不少故宮珍藏的歷史畫、建築實測圖等各類墨線圖。

本書是在本院有關部門通力合作下完成的。本院古建部、研究室、陳列部、保管部和羣工部等都承擔了部分的工作任務。本院出版工作委員會副主任、《故宮博物院院刊》總編輯劉北汜先生，出版工作委員會副主任、研究室主任吳空先生協助主編工作；古建研究人員鄭連章、劉策先生和茹競華女士參與編寫和製圖；周蘇琴女士具體組織拍攝和資料蒐集工作；書內主要照片是由攝影師高志強、胡錘先生攝製的。

另外，天津大學建築系副教授童鶴齡先生為本書繪製《紫禁城鳥瞰圖》，在此一併致謝。

故宮博物院
1982 年 3 月

目錄

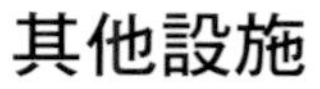

其他設施

附錄

紫禁城鳥瞰圖（童鶴齡 繪）

1 紫禁城宮殿的營建及其藝術

建築沿革

紫禁城位於現今的北京，原是明、清兩代的皇宮。明代的十四個皇帝和清代的十個皇帝，凡四百九十一年中先後在這裏發號施令，統治中國。

按照中國古代對太空星球的認識和幻想，謂有紫微星垣（即北極星），位於中天，眾星環繞，位置永恆不移，是天帝所居，稱紫宮，並援其「紫微正中」之義，來象徵世上帝皇的居所。而且皇帝所居的宮殿屬禁地，戒備森嚴，不許平民越雷池半步，因此明、清皇宮就有「紫禁城」之名。這個命名，更增添了皇宮的神秘色彩。

紫禁城宮殿是明成祖朱棣在位時營建的。明太祖朱元璋建國時，定都金陵，稱為南京，封他的四子朱棣為

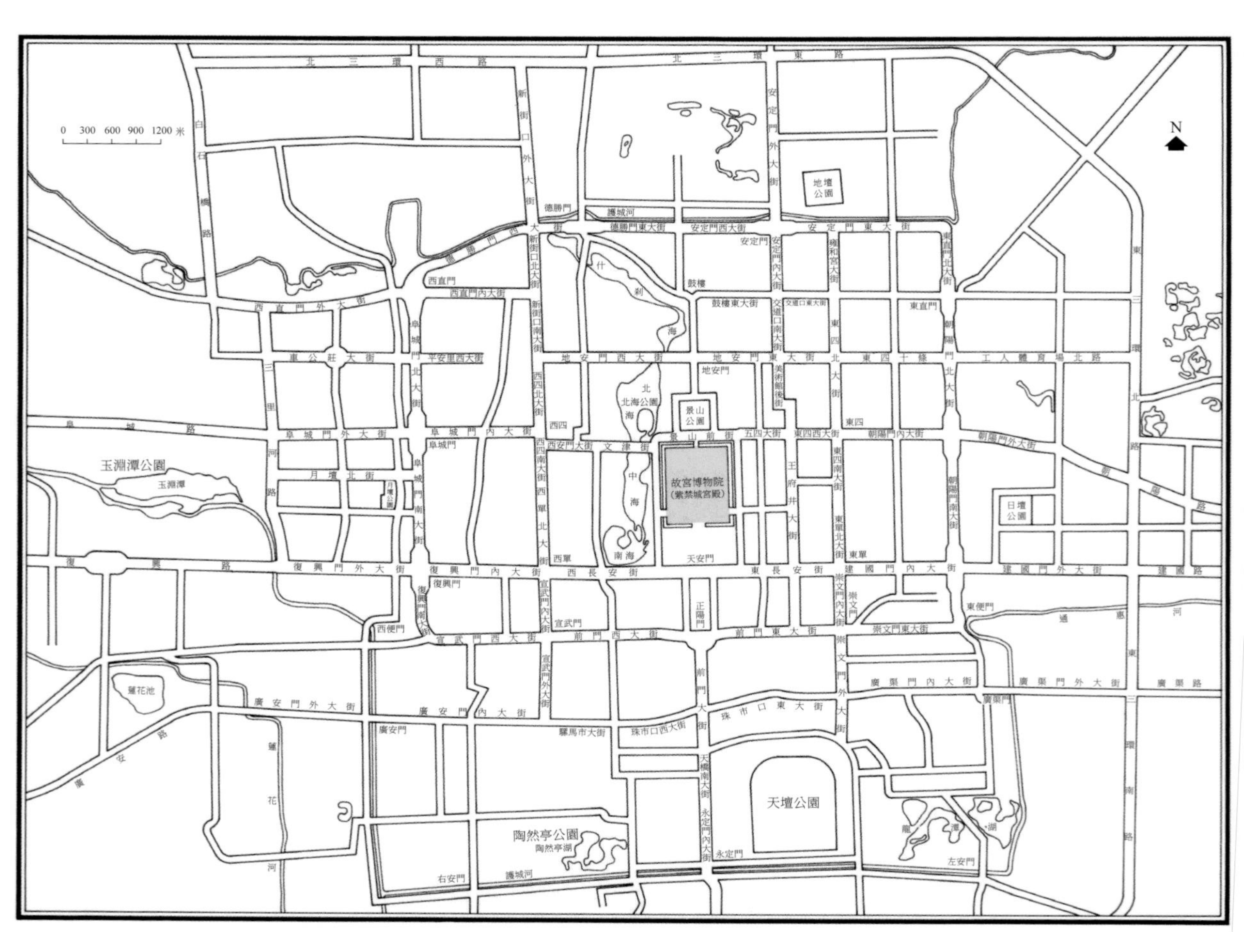

紫禁城位置示意圖

明成祖朱棣（1360—1424）

明朝第三位皇帝。明太祖朱元璋第四子，建文帝朱允炆之叔父。建文四年（1402）即位，在位二十二年（1402—1424），年號「永樂」。

燕王，駐守北平府（北京）。朱元璋在位三十一年死去，太孫建文帝繼位。朱棣不服，用武力攻取了南京，承繼了皇位，改年號為永樂。朱棣長居北方，深感北元殘餘勢力的威脅，出於軍事上的考慮及鞏固政權的需要，他於永樂四年（1406）下詔遷都北京，永樂五年五月開始營建北京宮殿、壇廟與自己的陵寢（即長陵）。他首先派遣大臣到四川、湖南、廣西、江西、浙江、山西諸省採木，並派侯爵陳珪（1335—1419）督製北京城與紫禁城的改建規劃。具體規劃則由被譽為「才智過人、經劃有條」的規劃師吳中（1372—1442）負責。

當時的規劃有三大特點。

紫禁城宮殿鳥瞰

第一，明代北京宮殿是在元大都的基址上營建的。當擬製規劃時，規劃師們不僅掌握元大都的基本情況，而且十分熟悉地上建築的情況，水系的來龍去脈以及暗溝的排水高程和坡度，因此在營建新城時得以充分利用原有的遺物，節省了很多工程量。由於紫禁城中缺乏水面，所以把太液池中的水從城垣的西北隅引入，向南回繞，在紫禁城的午門內的一段就是美麗的內金水河，然後從東南方向流出，經菖蒲河、御河和通惠河接通。

第二，明代的都城規劃吸取了歷代都城規劃的優點，對元大都宮殿佈局做了許多改動。元朝的大內正門崇天門（午門）至大都正門麗正門的距離較近，沒有北宋汴京宮前天街的那種雄偉深邃的氣魄。明代的北京規劃遂吸取了宋代汴京宮前「州橋南北是天街」的佈局，把京城的南面城牆向南推出了里許，到現在正陽門的位置，從而使正陽門到紫禁城之間形成了一條筆直而漫長的中軸線。從正陽門北向，經大明門（清時稱大清門）、外金水橋、承天門（清代改稱天安門）及端門，才能看到巍峨雄峙的紫禁城的大門——午門。這些門闕構成引人入勝的空間，有如宮前的序幕，增加了紫禁城莊嚴肅穆的氣氛。

明代在承天門外中軸線的兩側，

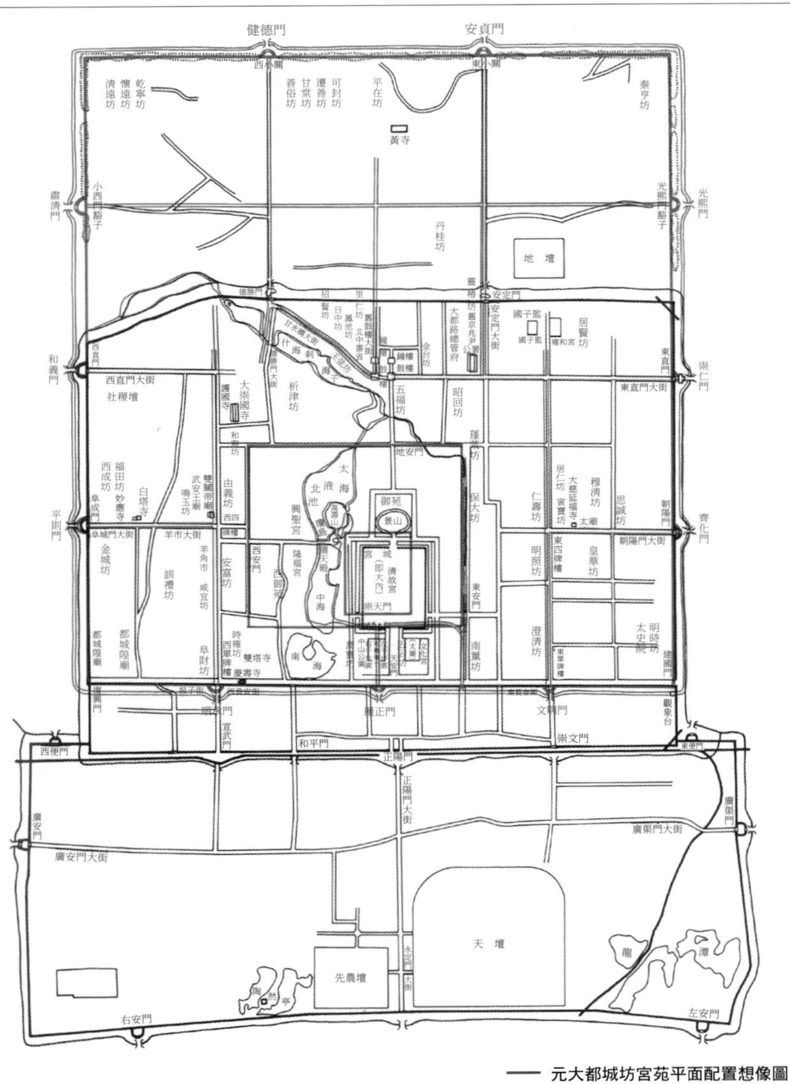

元、明北京城變遷圖

—— 元大都城坊宮苑平面配置想像圖

—— 北京內外城平面略圖

《康熙南巡圖》（從正陽門外到端門部分）

《清明上河圖》局部

北宋張擇端繪，現藏於故宮博物院。寬24.8釐米，長528.7釐米，絹本設色。作品以長卷形式，採用散點透視構圖法，生動記錄了中國十二世紀北宋都城東京（又稱汴京，今河南開封）的城市面貌和當時社會各階層人民的生活狀況，是北宋時期都城汴京繁榮的見證，也是北宋城市經濟情況的寫照。在5米多長的畫卷裏，共繪了數量龐大的各色人物，牛、騾、驢等牲畜，車、轎、大小船隻，房屋、橋樑、城樓，各有特色，體現了宋代建築的特徵。

佈置着千步廊與衙署，在承天門內東西朝房兩旁，佈置了「左祖右社」[1] 的太廟和社稷壇。這樣的佈置改變了元朝「左祖右社」遠離皇城的情況，使太廟與社稷壇緊連皇宮。

第三，元朝的宮殿佈局是以瓊島為中心的三處宮殿羣（興聖宮、隆福宮和大內），興聖宮和隆福宮是后、妃及太子的宮室，大內為帝后的正衙和寢宮。大內周圍環以宮城，但無護城河，宮後的御苑中也無景山。明代把太后嬪妃的宮室都佈置在紫禁城內，並沿紫禁城周圍挖了 52 米寬的護城河，使紫禁城增加了一道防禦工事。從護城河中挖出的土方多達百萬立方米，運至宮後的御苑，堆成高達 49 米的萬歲山（今稱景山）。這個設計既符合南京明宮殿後面以萬歲山為屏障的雄偉構想，又節省了土方的運輸。到了清乾隆年間，在萬歲山的五峰之上建起五座玲瓏秀麗的亭子，給紫禁城的山屏添了一景。登上景山萬春亭極目遙望，可以看到世界上唯一的景象 —— 琉璃瓦頂金光閃爍的「宮殿之海」—— 紫禁城。

1 指宮殿的左邊（東）是祖廟，右邊（西）是社稷壇，左右対稱。古代以左為上，所以左在前，右在後。

施工準備

在紫禁城裏建築的樓台殿閣，如按幢計算，約近千幢（古時稱為座，包括內務府、上駟院及值房等）。其中既有規模宏偉的大殿，又有造型複雜的亭閣；既有玲瓏精緻的工藝，又有罕見龐大的巨材。因此做營建規劃時，要算出需花多少錢，用多少工，備多少料，如何安排工程進度，確是一件不簡單的事。

採木

古建築中木材是最重要的材料。明代營建宮殿時，對木材質量要求很嚴格，木架和裝修都用上好的楠木（香楠或金絲楠）。這種材料產於四川，無論在山中採伐，還是運輸巨木來京城，都是非常艱險的事。「入山一千，出山五百」這句諺語，就充分説明了木材採伐運輸上的艱難，也可以看出明宮殿的建造消耗了多少人的血汗。

當時運輸的辦法是將木材滾進山溝，做成木筏，待雨季山洪暴發，將木筏沖入江河，順流而划行。遇到逆水時，便上岸拉縴。運輸木材的道路主要有兩條。一是通過運河、通惠河運到北京的神木廠。如浙江省的木材由富春江入大運河，經天津入北運河，再經通惠河入北京；江西省的木材通過贛江入長江；兩湖的木材通過湘江與漢水入長江；四川的木材通過嘉陵江與岷江入長江，然後經運河北上，往往需要三四年的時間才能到達。以上這些地區，所產的良材美木多是特等巨材，當時稱為神木。經這條渠道的木材由於產地廣，貨源足，因此從通州張家灣到北京崇文門的通惠河中，大量木材源源不斷，依次運入神木廠。二是從山西的桑乾河經永定河，把木材運到北京的大木倉。現在北京城內西單稍北的大木倉胡同，就是沿用五百年前為營建宮殿所設木倉的位置而命名的。

當時北京城內東西兩個大木儲存場儲材充足，因此在興建紫禁城期間，從未出現過停工待料的現象。比如大木倉，有倉房 3 600 間，保存條件良好，直到正統二年（1437），仍有庫存木材 38 萬根之多。

燒製磚瓦

紫禁城宮殿所需的磚瓦，品種之多、數量之大也是十分驚人的。其用量大不僅在於房屋之多，城垣之大，而且與一些特殊的工程做法是分不開的。如庭院地面，至少墁磚 3 層，甚至墁上 7 層。全部庭院估計需用磚 2000 餘萬塊。城牆、宮牆及三台用磚量更大，估計所用城磚數在 8 000 萬塊以上。每塊城磚重 48 斤有餘，總重約 193 萬噸，因此在生產和運輸上都是非常艱巨的。

從磚的規格和質量分，主要有以下幾種。第一種是用量最大的城磚。這種磚質地堅實，稱為停泥城磚。由於不宜細磨，所以多用在墊層和隱蔽部分。第二種是澄漿磚。這種磚，在製坯前，先將泥土入池浸泡，經過沉澱，澄出上面的細泥，晾乾後做坯。澄漿磚質地細，宜用作乾擺細磨的面磚。這種細泥澄漿磚以山東臨清的產量最多，當時規定，凡運糧船路過臨清必須裝上一定數量的磚才能北上。第三種是房屋室內和廊子地面所鋪的方磚。尺二方磚多鋪於小房室內，尺四方磚鋪於一般配房，較大的房屋均鋪尺七方磚，另外還有一種尺七以上的方磚，質地極細，敲之鏗然，聲若金屬，稱為金磚，產於蘇州松江等七府。紫禁城主要宮殿的室內都是用金磚墁地。

方磚也多賴運河和通惠河運到北京。明初，北京城內的御河可以行船，因此從運河運來的方磚可以直抵地安門外鼓樓前東側的方磚廠。現在的方磚廠胡同即以明初方磚廠而命名的。

屋頂所用的瓦件，從材料品種來分，可分三類：個別的建築物用金屬瓦頂；少數房屋用的是青瓦（也稱黑瓦或布瓦）；絕大多數的房屋為黃琉璃瓦。

琉璃瓦的規格品種較多，配件複雜。由於它製坯、塑造花紋、燒坯掛釉需要時間很長，所以必須事先訂貨。如何在事先提出備料清單，專業

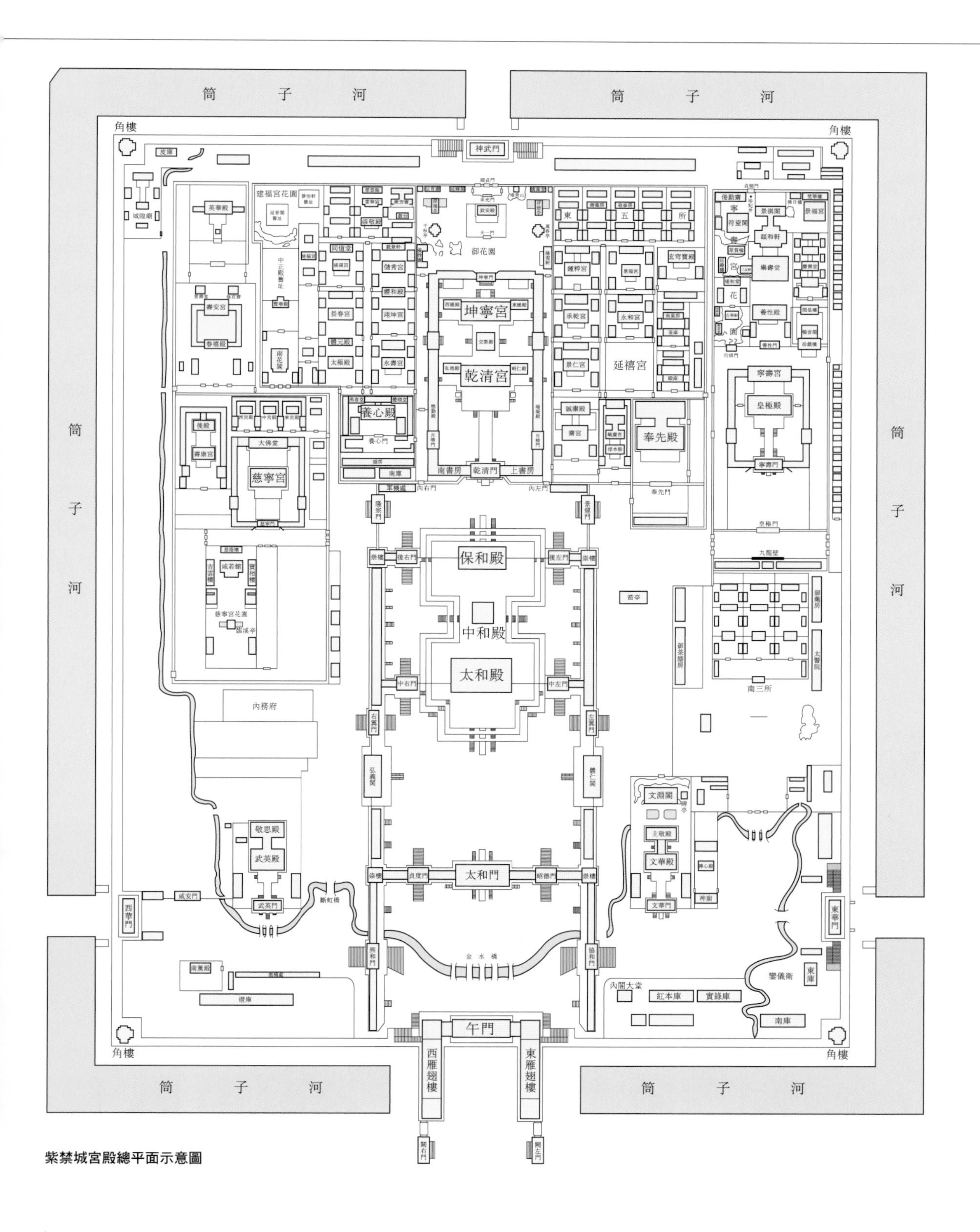

紫禁城宮殿總平面示意圖

技術人員有一套傳統的計算方法。只要有了建築尺寸、屋頂形式和瓦樣號數，琉璃瓦廠便能開出各種瓦件的詳單進行燒製。安裝時保證嚴絲合縫，件件齊全。

明代燒製琉璃瓦的地點在今北京正陽門與宣武門之間的琉璃廠。今和平門外尚有琉璃廠和廠西門的地名。燒製黑瓦的窯廠在黑窯廠，即今陶然亭、窯台一帶。現在陶然亭公園的湖泊，就是五百年前製坯取土的遺跡。

關於燒窯的地點，在明代及清代乾隆年間規定：「京城之北五里之內不得設窯。」因為北京多颳西北風，如果窯廠設在西北近郊，城內空氣容易污染，所以窯廠多設在東南一帶。清康熙年間又遷琉璃廠至門頭溝琉璃渠，一方面較近原料產地，另一方面更利於北京城保持空氣清潔。

採石

一般平原的木構建築，石材的用量並不太多，但紫禁城中所用的石材，不僅數量多，而且規格異常巨大。尤其明代早期對營建宮殿的材料的規格要求極嚴。例如：

明代宮殿台基上面的階條石都要「長同間廣」，也就是石料的長度要和每間的面寬一致。譬如乾清宮明間（中心間）的面寬為 7 米，則階條石料的長度也要在 7 米以上。這種石材的開採難度是很大的，而宮殿中需要大量這種規格的石材。現在紫禁城建築中所見到的階條石，並不都是「長同間廣」，甚至太和殿的條石，也沒和柱子中心對縫，這是由於清代補配時的做法有些變化，增加了條石的數量，減少每塊的長度，以解決開採長石料的困難。

殿前御道（甬路）石板，規格也是很大的，有的重達萬斤。這種石板御道，不僅用在紫禁城中主要宮殿前，在午門到端門、天安門的中軸線上的「御街」也用這種巨型石板鋪築。以上兩種巨型石材是在京西房山縣大石窩和門頭溝青白口開採的。石質堅硬，色澤青白相間，因此稱為青白石或艾葉青。以上兩種萬斤以上的巨材，明代營建紫禁城時需要萬塊以上，開採規模確是很驚人的。三台前後的兩塊雕龍御路石板長 16.57 米，寬 3.07 米，當時開採這樣巨大而又無裂無疵的石材就更難了。據估計，每塊石材重達 250 噸，如果按採石

太和殿前御路接駁示意圖

時加荒計算，這種石料每塊起碼要重300噸以上。從當時的生產條件看，探礦、開採、運轉、吊裝等工程難度都很大。當時能夠採集應用，分析起來不外依靠兩個方法：一是運用科學方法；二是靠人多。石匠的撬棍和起重的槓秤就是利用「重量 × 重支距 = 力 × 力臂」的槓桿原理，這和現代吊車原理是一樣的。人的力量雖然有限，但人數多，做動作時喊號子，步伐一致，力量也就很大了。

明萬曆年間重建三殿時，太和殿前所需的御路石「闊一丈，厚五尺，長三丈餘」，估計這塊石料重達180噸。運輸這樣巨且重的材料，既不能用車也不能就地滾，於是選在冬季運輸，沿途每隔一里打一口井，路上潑水成冰，拽石在冰上滑行，摩擦阻力較小，這在當時的條件下，不失為有效的辦法。但用這種辦法仍需民工兩萬多名，經二十八天才拽運到北京。不過這塊石材的長度僅為原來御路石材的百分之六十。為達到原來的長度，用三塊石材巧妙地拼接起來。拼接時，如果直縫對接，必露出接縫，非常醜陋。聰明智慧的石工在做這塊御路時，是以雲紋突起的曲線為拼合線，使石料之間的接觸面成為高低起伏、凸凹交錯的彎曲面，雖然用三塊石料拼合，也能嚴絲合縫地咬合為一體。因此這雕石御路雖然位於太和殿前的顯眼部位，但長期以來無人看清是拼接出來的，只是由於後來石塊走閃，出現縫隙，人們才發現三台前面正中的大石雕「御路」與保和殿的用材不同，它不是用16.57米長的石材雕製的，而是用三塊石料拼合而成的。

御花園欽安殿穿花龍欄杆

房山不僅出產青白石，還出產大量的白石，其中還有一種質地柔潤堅實，形如玉石，潔白無瑕的漢白玉。白石都用來做鉤欄望柱，俗稱玉石欄杆。一般的白石易於風化，只有養心殿前的御路石、御花園欽安殿的欄杆及盆景座的一些晶瑩的白石才是珍貴的漢白玉石。

當時，採集石材的場地除了房山、門頭溝，還有順義縣牛欄山和門頭溝馬鞍山的青砂石、昌平白虎澗的豆渣石和河北曲陽縣的花崗石。這些地方都較靠北京城，説明明代營建宮殿時是採用就近取材、因材製用的辦法的，採發來的石料以白石做鉤欄，青石做台基，豆渣石做溝基和路面，花崗石做磨石地面，青砂石做次要房屋的柱礎台基用。至於現在紫禁城中尚存的少量的五色虎皮石（冰紋拼合的貼面牆石）為清代從薊縣盤山採發的，不屬於明初的備料計劃。

其他建築用料

白灰（也稱石灰）在修建紫禁城中，用量很大。白灰係用石灰岩燒製，白灰窯大都設在山腰或山腳下，靠近石灰岩產地。如房山周口店和磁家務（現在磁家務附近有「石灰廠」的地名），順義縣的牛欄山，懷柔（縣城西南有個地名叫石場），以及山西省的部分地區，設置很多石灰窯，現在門頭溝馬鞍山仍有灰質最佳的石灰窯。

宮殿的牆壁為紅色牆身，黃琉璃瓦頂的夾隴灰中也摻和紅土子抹灰刷漿。因此，紅土子的用量也是很大的。其產地在山東淄博魯山，加工在博山，博山以出紅土子著稱。

大殿室內牆壁粉刷所用的近似杏黃色的材料稱為包金土，產於河北省宣化市北面的煙筒山（文獻記載為寅洞山）。此外殿堂內的金漆寶座與室內外的油畫貼金，需用大量的金箔，是用真金打成的，厚薄均勻的箔頁多在江南加工。蘇州加工的金箔既薄且勻，無砂眼。金箔由於配比成分不同，分為庫金和大赤金兩種。

紫禁城宮殿所需的建築材料還有很多，產地也很廣，就不一一贅述了。

施工過程與著名匠師

紫禁城宮殿的施工是經過長期準備，周密計劃，充足備料，並做出大量預製構件之後，才在永樂十五年（1417）二月破土開工的。經過三年的大規模施工，於永樂十八年（1420）九月竣工。其規模之大，計劃之周，構造之精，進度之快，確是建築史上罕見的奇跡。這既是全國人民的血汗結晶，又是參加營建的十萬工匠與百萬夫役的勞動成果。這十萬工匠多是從各地甚至其他國家挑選來的能工巧匠，他們有的人參加設計，有的人負責管理和操作，都發揮了專業才能。

如陸祥、楊青、蒯祥等就都是掌握祖傳技術，應徵服役的著名匠師。

陸祥是祖傳的石工，從小隨父兄學石工技術。朱元璋營建南京時，他曾應徵到南京服役。陸祥石作技術高超，操作認真，他所掌管的北京宮殿壇廟石活都能雕琢精細，尺寸嚴格，工精料實，一絲不苟。從欽安殿的白石鉤欄到三台螭首的「千龍噴水」，都可以看出他精湛的技術。石材加工費力費時，紫禁城中所用石材巨，數量多，加工尤難，陸祥卻能有條不紊地事先在紫禁城外的大小石作進行打鑿、雕刻，預製後運至現場快速安裝，不差分釐，這就保證了紫禁城的工程質量與進度。

瓦工楊青，擅長估算，精於調配工料。他的工料估算對完成宮殿施工起了很重要的作用。因為工地人多，如果沒有好的調度，就會造成現場混亂。在緊迫的施工當中，紫禁城營建工程沒有停工待料，沒有因工序銜接不上而誤工，這與楊青善於安排工地上人數最多的瓦工、壯工是分不開的。

蒯祥（1398—1481）是蘇州吳縣人，為家傳的木工技術人員。他父親蒯福是一位經驗豐富、技術精湛的木工，曾主持南京宮殿的木作工程。蒯祥在少年時代隨父學藝，青年時代即到南京做木活。由於勤奮學習，刻苦鑽研，他終於成為一位優秀的木工。當蒯福告老還鄉時，蒯祥接班，接管南京宮殿的木作工作。永樂十五年（1417）紫禁城宮殿開始進入大規模施工高潮時，蒯祥隨永樂帝從南京到北京，主持宮殿的施工。

古代木構建築的營建，由於很多用料的尺寸都是以斗拱的模數計算出

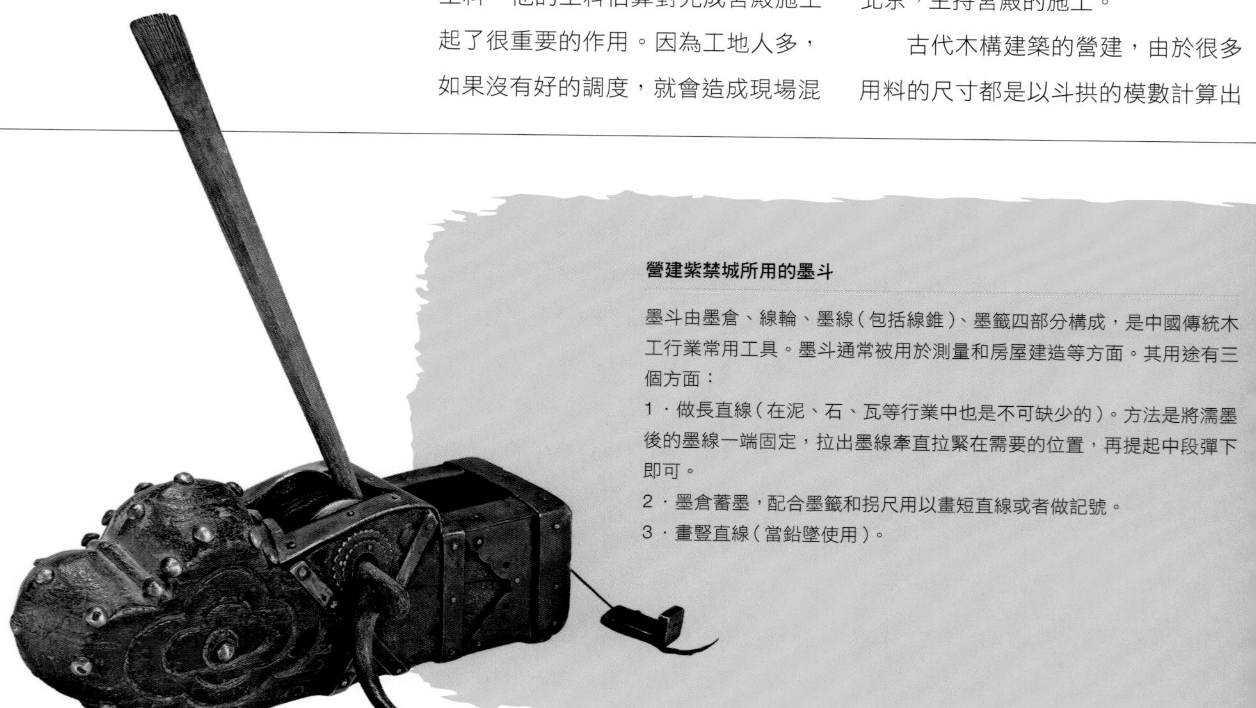

營建紫禁城所用的墨斗

墨斗由墨倉、線輪、墨線（包括線錐）、墨籤四部分構成，是中國傳統木工行業常用工具。墨斗通常被用於測量和房屋建造等方面。其用途有三個方面：

1．做長直線（在泥、石、瓦等行業中也是不可缺少的）。方法是將濡墨後的墨線一端固定，拉出墨線牽直拉緊在需要的位置，再提起中段彈下即可。

2．墨倉蓄墨，配合墨籤和拐尺用以畫短直線或者做記號。

3．畫豎直線（當鉛墜使用）。

1900 年時紫禁城外觀

東為東華門，西為西華門。每座城門樓下的墩台，都用白灰、糯米和白礬等做膠結材料，十分堅固耐久。墩台的中間，用磚砌出券門。墩台的兩側，各有磋磜路面的馬道，轉折而上，通達城垣的頂面。

清代進出紫禁城的腰牌

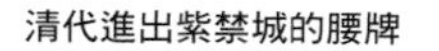

腰牌是古代官員日常所配的身份符信，相當於今天的通行證。清宮腰牌多為木質，大小尺寸各異，正面燙有「腰牌」字樣，由內務府製作。晚清還有了鐵質腰牌，上貼有紙，書寫使用者的姓名、相貌、年齡等。隨着照相技術的引進，出現了貼有使用者照片的腰牌，可基本防止冒名頂替的可能。

從景山南望紫禁城宮殿

午門

四座城樓中最壯觀的是午門，午門的門樓建成於明永樂十八年（1420），重修於清順治四年（1647）和嘉慶六年（1801）。午門的墩台，平面成整齊的「凹」字形，台高12米。台下正中有三個券門，台的兩翼有掖門，所以人們稱午門的門洞是「明三暗五」。

正中的門樓，面闊九間（長60.05米），進深五間（寬25米），在建築佈局中達到了古代殿堂中「九五之尊」的最高等級。上覆重簷廡殿頂，自城台地面到脊吻，高達37.95米，是紫禁城內最高的建築。城台上兩側，各設廊廡十三間，門樓兩翼向南排開，俗稱雁翅樓。在雁翅樓的兩端，各設有一座重簷攢尖頂的闕亭。整個城台上的建築，三面環抱、五峰突出、高低錯落、主次相輔、氣勢雄偉，有「五鳳樓」之稱。

午門共有五個門洞，當中的正門，只有皇帝祀祭壇廟或親征時才能出入。皇后在成婚入宮時可以走一次，再是殿試的時候，宣佈中了狀元、榜眼、探花的三人出來時可走一次。宗室王公、文武官員只能走兩側門，文武百官從左門出入，皇室王公

南望午門城樓（午門城樓背面）

從右門出入。東西兩拐角處左右矩形洞，平時不開，只有在大朝的日子，文東武西，分別由掖門出入。再是殿試文武進士，按會試考中的名次，單數走左掖門，雙數走右掖門。另外，明朝廷杖大臣即在午門前的御路東側執行。

午門外景

午門正面

雁翅樓

午門左右城牆向前伸出成凹形，它是以一座重簷九間的正樓和東西各兩座闕亭相連而成，形如雁翅，俗稱「雁翅樓」。

◎《康熙南巡圖》

午門前有一個很大的廣場，每遇皇帝頒朔（每年十月初一頒發第二年的曆書）、宣旨及百官常朝，都聚集於此。

國家征討、凱旋還朝進獻戰俘時，皇帝還親臨午門受獻俘禮，並規定每月初五、十五、二十五日是常朝的日子。是日，如果皇帝御殿，羣臣在太和殿前行禮、奏事。如果皇帝不御殿或不在京，王公大臣到太和門外，王公以下的官員只在午門前御路兩旁分東西班坐班，如果沒有大事，糾儀官查過班後，王公等從午門出來，大家即可散去。

康熙在位的六十一年間，曾六次巡視江南。王翬等人繪製的《康熙南巡圖》是對第二次南巡的記錄。康熙二十八年（1689）正月初八起程離京，二月初九日到達浙江杭州，三月初九日回到北京。《康熙南巡圖》共十二卷，第十二卷是描繪康熙南巡歸

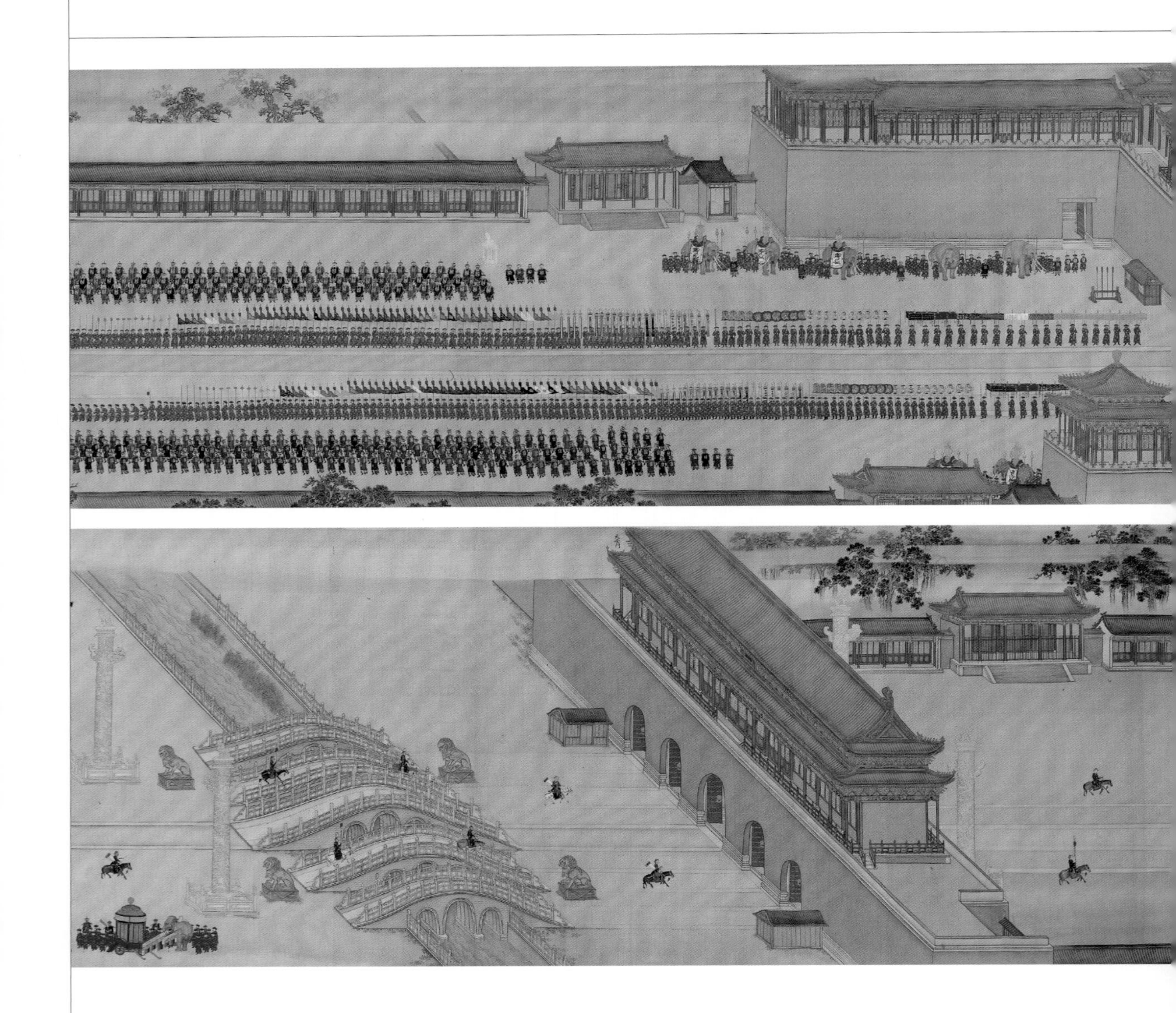

來，鑾駕進宮時的盛況。

此處節選的是午門至天安門一段畫面，在午門之外至端門內，整齊地排列着四列隊伍，前面兩列是鹵簿，後面兩列是在京的各部院王公大臣，在等候康熙的歸來。端門外至天安門外，康熙已在護軍的護衛下騎馬而來。

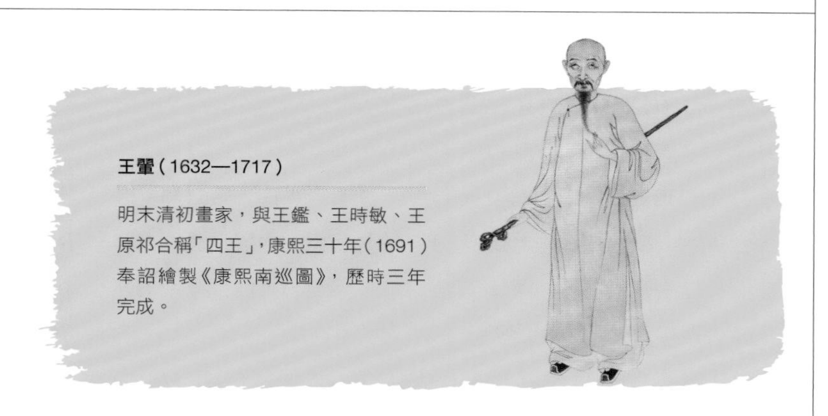

王翬（1632—1717）

明末清初畫家，與王鑑、王時敏、王原祁合稱「四王」，康熙三十年（1691）奉詔繪製《康熙南巡圖》，歷時三年完成。

《康熙南巡圖》第十二卷局部

神武門、東華門、西華門

神武門是紫禁城的北門。明永樂十八年（1420）建成的時候，名曰玄武門。到了清代，為了避康熙皇帝玄燁「名諱」，而改名為神武門。清代每逢大選秀女，都在神武門內進行。門樓五楹，重簷廡殿頂，內陳鐘鼓，與鐘樓和鼓樓相應，用以起更報時。

黃昏後鐘樓鳴鐘一百零八聲，而後起更，起更敲鼓，打鐘擊鼓至次日拂曉復鳴鐘，每日欽天監派員上神武門門樓上指示更點。

紫禁城東西兩側，分別是東華門和西華門，門外置下馬碑。東華門平時是朝臣及內閣官員進出宮城的地方，除了皇帝的殯宮、神牌經此門出入外，皇帝一般不使用它。皇帝和后妃由京西苑囿還宮，走的是西華門。

神武門外望景山（1900 年攝）

東華門城牆

三面的護城河內側，還建有守衛圍房七百三十二間，警衛森嚴，一般人無法接近。

外望護城河

外朝

外朝，是明清兩代皇帝辦理政務、舉行朝會的場所。以坐落在紫禁城中軸線上的三大殿和左輔右弼的文華、武英殿為主體，再包括沿城牆南垣的辦事機構內閣以及檔案庫、鑾儀衛等大庫。

三大殿，是太和殿、中和殿和保和殿的合稱，它們佔據了紫禁城中最主要的空間，面積達 85 000 平方米，在建築設計和藝術構思上，以其宏偉的規模、威嚴的氣勢、富華的裝修和神秘的色彩，成為紫禁城中最突出的建築羣。

清世祖福臨畫像

三大殿又稱前三殿，是外朝的中心區域。三大殿的平面組合，各以太和殿和保和殿為主，運用傳統一正兩廂合為一院的組合原則，圍成兩個封閉的庭院，各有其獨特之處。但由於保和殿和太和殿同立於一個崇高廣大的「工」字形石陛上，兩殿各在一端，在「工」字之中加上較小的中和殿，使三大殿凝成一體，使人在感覺上不似在四合庭院之內。

三大殿的造型藝術也是非常講究的。一首一尾的太和、保和二殿都是矩形平面，而中間佈置一個較矮小的方亭 —— 中和殿，成馬鞍形，在平面上調劑兩個矩形平面的呆板；同時在重簷廡殿和重簷歇山兩殿間出現單簷四角攢尖的鎏金寶頂，使三大殿造型不同，高度有別；兼且高低錯落的曲線，在立面上收到豐富多姿的效果。

三大殿這一組建築羣的左右，又建有文華殿和武英殿。這兩座大殿都是「工」字形的平面，單簷歇山頂，拱衛着三大殿。文華殿是皇帝舉行經筵的宮殿。舉行經筵前一天，皇帝到文華殿東的傳心殿向孔子牌位祭告。經筵當天，再從乾清宮乘輿入文華殿升寶座，聽講官進講。

前朝三大殿全景

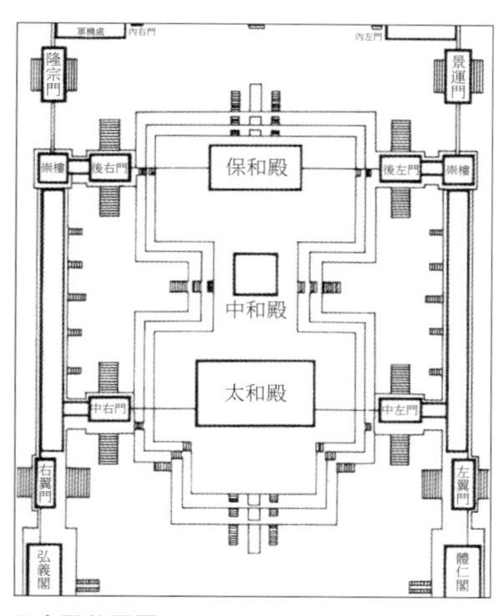

三大殿位置圖

武英殿外景

文華殿外景

武英殿在明代是皇帝齋居和召見大臣的宮殿。明末農民起義領袖李自成進入北京後，在這裏辦理政務。清代乾隆年間，這裏成為宮廷修書、印書的地方。所印的書，稱為殿本書。

武英殿之南，有三間歇山頂的小殿，即南薰殿，是存放歷代帝王像的地方。這座小殿不僅有明代的木構架與天花藻井，而且保留了明代的彩畫，是建築史上很有價值的實物資料。

三大殿總橫剖面圖

單位：米

太和門

三大殿的前引，是太和門。它面闊九間，進深四間，是紫禁城中最雄偉高大的一座宮門。每當皇帝出紫禁城午門，也先由宮裏乘輿到此，而後改乘鑾輦出城。清朝入關後的第一個皇帝於順治元年（1644）九月進入紫禁城不久，在這裏頒佈了大赦令。

太和門的左右有昭德、貞度二門，同東西兩翼的協和、熙和二門及南面的午門用連排的廡房相互聯繫，圍成一個 26 000 平方米的廣場。廣場上清澈的金水河自西蜿蜒而東，上架五樑虹橋，橋側與河畔砌有潔白的漢白玉欄杆。

明朝規定，文武官員每天拂曉到奉天門早朝，皇帝也親自來受朝拜和處理政事，叫「御門聽政」。景泰年間，還規定有午朝，在奉天門東廡的左順門（今協和門）舉行，門南即內閣辦事的公署。左順門對面的右順門，明代也是百官奏事之所。清初，

太和門正面

皇帝也曾在太和門受朝、賜宴，但「御門聽政」則移至乾清門。在清代，太和門東廡為稽察欽奉上諭事件處、內閣誥敕房和內閣辦事地方；西廡為翻書房、起居注館和膳房庫。

黃昏時分的太和門

太和門廣場及內金水橋

午門內，在規制嚴整的庭院中，一條玉帶形的內金水河從西向東流過，跨過雕欄玉砌的內金水橋，迎面便是雄偉的太和門。太和門明初稱奉天門，後稱皇極門，清初才稱太和門。現所見的太和門是清光緒年間重建的，全高 23.8 米，是紫禁城內最大、最高、裝飾最華麗的門。

三大殿前後起伏，變化有致，又有太和門作引導，同時在院落空間的建築組合設計上，也頗具匠心。三大殿的四周，都用門廡環繞，四角是重簷歇山頂的崇樓，殿前有體仁閣、弘義閣，左右陪襯，對稱齊整。

太和殿前是一個宏大的廣場。遇到朝典，皇帝升殿，其餘的人只能候立在太和殿外。丹陛上跪伏的是親王，丹墀（音池）下沿御路兩旁的十八對刻有官階的品級山後，是文武官員列隊跪拜行禮的地方。稱作「鹵簿」的儀仗隊伍，則從太和殿前向南，往太和門、午門、端門，一直排列到天安門外。

太和門明樑及天花

紫禁城內陳設銅獅子

紫禁城內陳設銅獅子，不僅顯耀宮廷的豪華，而且用以顯示帝王的「尊貴」和「威嚴」。這些銅獅分散在六處，每處都是一對。這六處是太和門前、乾清門前、養心門前、長春宮前、寧壽門前和養性門前。六對銅獅子以太和門前的一對最大，但沒有鎏金，其餘五對都是鎏金的。銅獅造型生動，栩栩如生。

《皇帝法駕鹵簿圖》局部

鹵簿，是皇帝天子的儀仗隊。其制度累代相沿，每有增補，以唐、宋時期最盛。宋神宗時，皇帝的大駕鹵簿，用人多至 22 200 多名。清朝鹵簿，承襲明制，雖有所削減，但康熙時也約用 3 000 多人。清朝前期，鹵簿制度有所變動，至乾隆初年才規定下來。據《大清會典》規定，皇帝的儀仗稱鹵簿，皇后、皇太后的稱儀駕，皇貴妃、貴妃的稱儀仗，妃嬪的稱樂仗。

皇帝鹵簿有四種，一是大駕鹵簿，規格最高，其次是法駕鹵簿、鑾駕鹵簿和騎駕鹵簿，各有不同用途。

朝會是清代宮廷中一項最為隆重的典禮活動。在舉行朝會儀式的清晨，由鑾儀衛把法架鹵簿陳列太和殿前。法駕鹵簿由五百多件金銀器，木製的斧、鉞、爪、戟等武器以及傘、蓋、騎、纛等組成，排列起來非常壯觀。

此圖為嘉慶時宮廷畫家所作，為長卷畫，所陳列鹵簿從天安門起，經端門、午門直達太和殿前。這是其中午門至太和門的一段。

台基

三大殿依次修建在同一個高達 8.13 米的台基上。台基上下重疊三層，俗稱「三台」。每層都為須彌座形式，上有漢白玉欄杆。每根望柱頭上都雕有精美的雲龍和雲鳳紋飾。每根望柱下的地栿外側，伸出一個叫「螭首」的獸頭。一到雨天，三台上的雨水從數以千計的螭口內噴出，層層疊落，形成千龍噴水的奇景。

三台平面呈「干」字形，面積達 25 000 平方米。前後階陛中間設有雕刻龍雲路石，其中以保和殿後的御路石最長，它用一整塊長 16.57 米、寬 3.07 米、厚約 1.7 米的青石雕刻而成，重達 250 多噸。

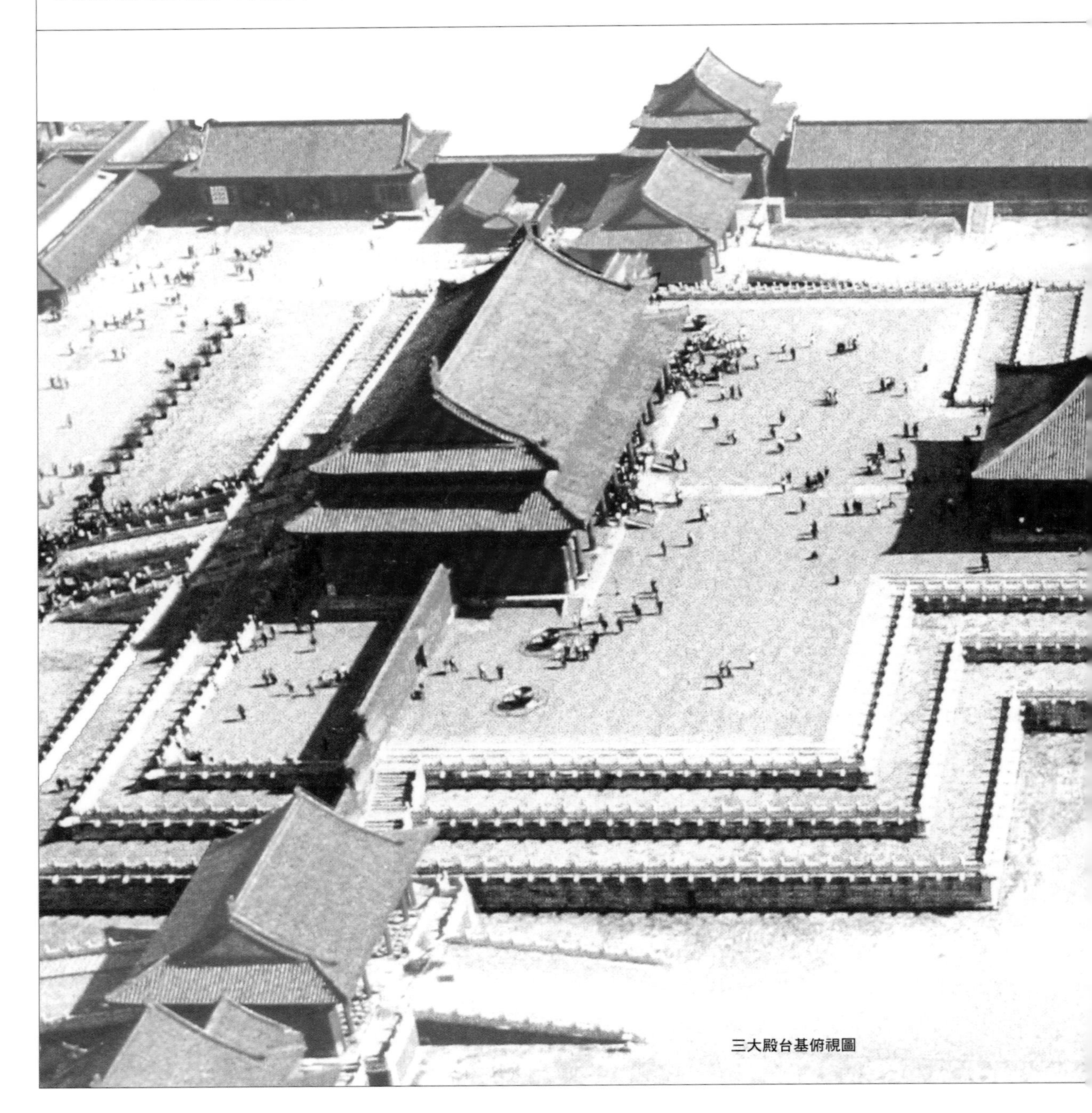

三大殿台基俯視圖

太和殿台基及雕鑄品位置示意

在三台南部，太和殿前的丹墀上，陳設了許多雕鑄品。太和殿前丹陛上陳列有象徵江山永固和一統的銅龜、銅鶴、日晷和嘉量。其中，日晷是古代的計時器，以帶刻度的圓石盤上的銅針的陰影來指示時辰；嘉量裏存放着古代容積的綜合標準量器 —— 斛、斗、升、合、龠；銅鑄的龜和鶴，在古代被認為是祥瑞的動物，象徵江山永固和太平，並稱頌皇帝萬壽無疆。在龜和鶴的腹內還可以燃香，煙從口吐出，構造巧妙精細。

太和殿丹陛上吐煙銅龜

銅龜和銅鶴的背項有活蓋，腹中空，與嘴相通，太和殿舉行盛大典禮時，於銅龜和銅鶴腹內燃點上松香、沉香、松柏枝等香料，青煙自銅龜和銅鶴口中裊裊吐出。另置大銅爐香煙繚繞，增加了神秘和莊嚴的氣氛。

太和殿丹陛上銅鶴

弘義閣黃昏

太和殿的裝修採用金扉、金瑣窗。殿的正中是鏤空透雕的金漆基台與寶座。正對寶座上方是雕着口銜寶珠的蟠龍藻井，其餘全是金龍圖案的井口天花。寶座後面有屏風和翬翟（后妃的禮服），寶座兩側有六根盤龍大金柱，金碧輝煌，光彩奪目。

殿內面積 2370 多平方米。外樑、楣是貼金雙龍和璽彩畫，寶座上方是金漆蟠龍吊珠藻井，靠近寶座的六根瀝粉蟠龍金柱直抵殿頂，上下左右連成一片，金光燦燦，極盡奢華。

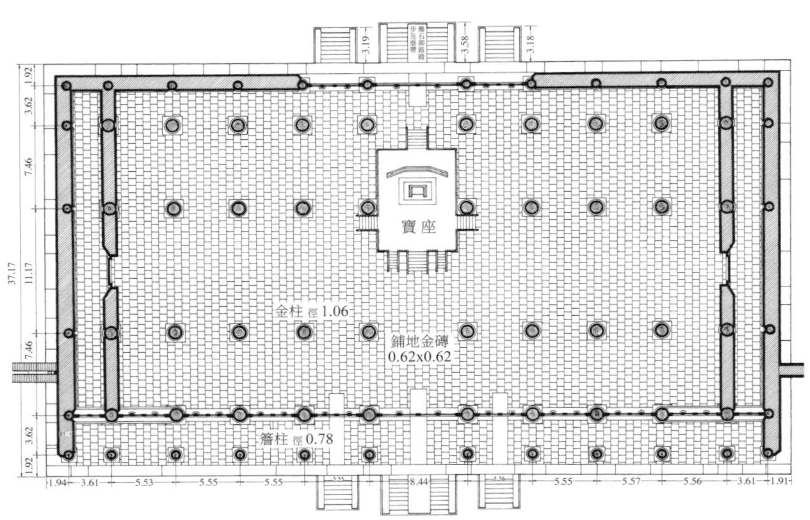

太和殿平面圖

單位：米

太和殿寶座台基一角

太和殿內景局部

太和殿寶座前香爐

太和殿內四個龍櫃之一

太和殿內的鏤空金漆寶座及屏風設在有七層台階的高台上。寶座上設雕龍髹金大椅，是皇帝的御座。椅後設雕龍髹金屏風，左右有香几、香筒、甪端等陳設。寶座前面在階陛的左右還有四個香几，香几上有三足香爐。當皇帝升殿時，爐內焚起檀香，香筒內插藏香，於是金鑾殿裏香煙繚繞，顯得更加肅穆。殿內原有乾隆所題匾額「建極綏猷」以及左右聯，1915 年

太和殿寶座靠背

袁世凱稱帝時拆掉。前三朝和後三宮各大殿上的寶座，都是坐落在北京城的中軸線上的。

寶座椅背兩柱的蟠龍十分生動，特別是組成背圈的三條龍，完全服從背圈的用途，又不影響龍蜿蜒擎空的姿勢。椅背採用圈椅的基本做法，座下不採用椅腿、椅撐，而採用「須彌座」形式，這樣就兼顧了龍形的飛舞和座位堅實穩重的風格。

太和殿寶座龍椅扶手

太和殿寶座底座

太和殿寶座靠背上的龍首

太和殿寶座

◎《光緒帝大婚圖》

《光緒帝大婚圖》局部

光緒帝（載湉）於光緒十五年（1889）與副都統桂祥之女葉赫那拉氏結婚。結婚之前一年，慈禧太后即命籌辦大婚典禮諸事，命內務府員外郎慶寬把結婚典禮的儀式按次第製成圖冊，呈上審閱。這本畫冊——《光緒帝大婚圖》，即按清廷皇帝結婚的儀式，將鳳輿及儀仗隊所經過的地方，一段一段地畫出。此段是經過太和門時的情況。這些畫雖未注明作者，但都是出自當時宮廷畫家之手。在清朝入關後的十個皇帝中，末代皇帝宣統在清亡時尚不滿六歲，不能成婚立后。而婚後即位的有雍正、

保和殿內寶座

內廷

紫禁城的後半部是封建帝王及其家屬居住的地方，稱為後寢。其中宮殿、園林、樓、台、亭、閣櫛比相連，佈局緊湊。每座庭院除有院牆、門廡環繞外，又用高大的宮牆圍成更森嚴的內部禁區，所以通稱內廷。

內廷大致可分帝、后的寢宮 —— 后三宮，后妃宮室 —— 東、西六宮，清雍正以後的皇帝寢宮 —— 養心殿，太上皇宮殿 —— 寧壽宮，太后太妃宮殿，太子宮室等六組宮殿區。

乾清門廣場

內廷的主要建築是乾清宮和坤寧宮。因為這兩座建築是帝、后的寢宮，所以建在紫禁城的中軸線上，與外朝的三大殿並稱為「三殿兩宮」，構成紫禁城的核心。所謂「兩宮」，指的就是內廷的乾清宮和坤寧宮。約於明代嘉靖年間，在兩宮之間又增加建了方形、單簷、四角攢尖的交泰殿，於是後來又有「後三宮」之稱。

乾清門，是內廷的正門，清朝，這裏是「御門聽政」的地方。御門聽政一般從上午八九點鐘開始。聽政時，皇帝坐在臨時安設在中間的寶座上，起居注官立於西側，面向東，翰林、科道官（類似負責監察的官）立於階下西側，內閣事先傳知的各部、院等奏事的官員跪在東側，面向內。一般例行之事，由一名尚書跪奉奏疏放於黃案上，退回原位，跪奏某事，奏畢，由東階下，以下各官再依次進奏。機要之事，翰

後三宮側照

豬、煮肉、做糕，就地吃肉。不過，坤寧宮東暖閣作為皇帝結婚的洞房，康熙、同治及光緒帝大婚時都在這裏住過。

坤寧宮內薩滿教祭祀場所

坤寧宮內明間和西部的南、西、北三面是環形大炕，這是清朝重修坤寧宮時按照東北滿族的習慣改建的，清宮在這裏祭神。每天有朝祭、夕祭，平時由司祝、司香、司俎等人祭祀，大祭的日子皇帝、皇后親自參加。

從坤寧宮望御花園

坤寧宮後面是坤寧門，門內周圍的廊廡是太醫值房、藥房和太監值房。出坤寧門就是御花園了，但在明朝初期，坤寧門不在這裏，而是在欽安殿的後面，即現在的順貞門，明嘉靖時才改在這裏。可見當時的御花園是和後三宮連在一起的，所以當時叫宮後苑。

坤寧宮內東暖閣，是皇帝大婚時的洞房。清代皇帝當中，康熙、同治、光緒，以及宣統在辛亥革命後大婚時，都以這裏做洞房。住過三夜之後，就遷居東西六宮中指定的一個宮中去。房中整堵牆均用紅漆髹成，懸「囍」字宮燈，出入是鎏金頁的大紅門上也有金色「囍」字。門房牆上一幅大對聯直落地面。從坤寧宮正門進入東暖閣以及洞房外東側通路，聳立着一座大紅地金色「囍」字木影壁，取帝后合巹「開門見喜」之意。

東暖閣靠北牆是龍鳳喜牀，牀上掛着五彩納紗百子幔，上繡「百子圖」。喜牀上鋪着厚實的紅緞龍鳳大炕褥。

坤寧宮內東暖閣

坤寧宮內洞房

坤寧宮內洞房之喜牀

東、西六宮

東、西六宮分佈在後三宮左右，是皇妃的宮室。它們是一些可稱作「標準單元」的庭院，每個庭院佔地約兩萬平方米，由舉行接見儀式的前殿、配殿和寢殿組成。各庭院之間有縱橫街巷聯繫：南北走向的一長街寬 9 米，二長街寬 7 米；東西走向的巷寬為 4 米。街的兩端設宮門和警衛值房。各個庭院除有自己的宮門外，還有東、西巷門，南、北街門，規劃整齊，井井有條。慈禧做太后時，為了擴大西六宮的長春宮和儲秀宮，把長

春門與儲秀門拆掉，改建成廳式的體和殿與體元殿，因此現在的這兩座宮院，已成為四進院的格局了。

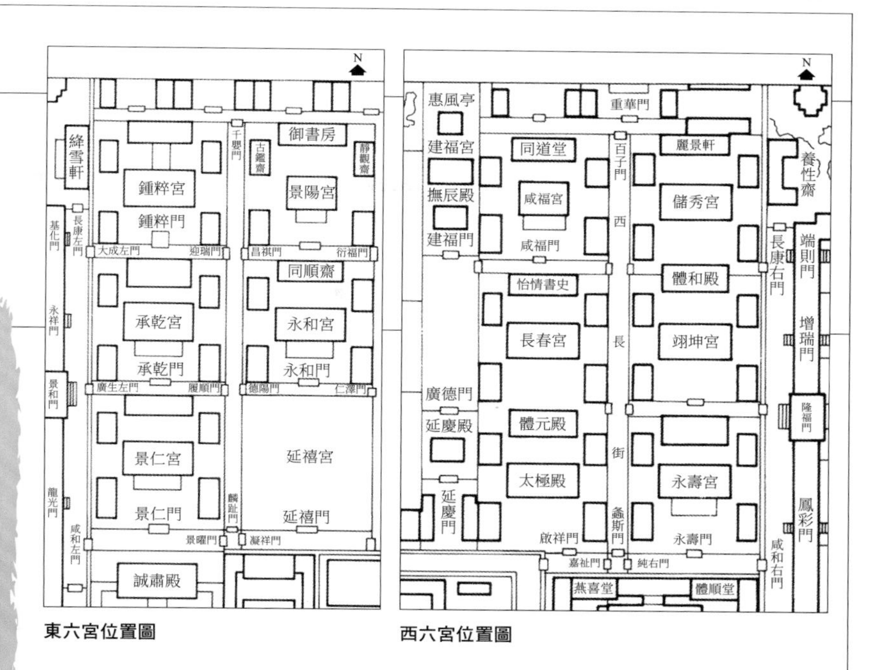

東六宮位置圖　　西六宮位置圖

從明初至清東、西六宮名稱變更

明初原名稱	嘉靖十四年改稱	明代晚期改稱	備注
咸陽宮	鍾粹宮	—	明初皇太子居處
永寧宮	承乾宮	—	皇貴妃居處
長安宮	景仁宮	—	清康熙皇帝生於此
長陽宮	景陽宮	—	清代用來貯藏書畫
永安宮	永和宮	—	瑾妃曾居此宮
長壽宮	延祺宮	延禧宮	晚清仿水晶宮的水殿
壽昌宮	儲秀宮	—	慈禧為貴妃時居處
萬安宮	翊坤宮	—	—
長樂宮	毓德宮	永壽宮	—
壽安宮	咸福宮	—	—
長春宮	永寧宮	長春宮	—
未央宮	啟祥宮	太極殿	—

清西太后慈禧像

慈禧（1835—1908），即孝欽顯皇后，葉赫那拉氏，咸豐帝的妃嬪，同治帝的生母。清朝晚期的實際統治者。

清瑾妃像

瑾妃，珍妃的姐姐，光緒帝的三位后妃之一。

西一長街

西一長街在後三宮的西面，長街西側南部為養心殿，北部為西六宮。

東六宮・景仁宮

景仁宮是東六宮之一。順治帝第三子玄燁（康熙帝）出生在這裏。乾隆帝、道光帝做太子時在這裏住過，光緒帝的珍妃也在這裏住過。

景仁宮前石屏風

長春宮院內四周廊內壁畫

畫筆工細，透出典雅娟秀之氣。整幅佈局巨麗精整，深遠曲折。從小處看，雖一草一木，筆致細膩，並運用了「透視學」的原理去表現樓台景物，有立體感。

從長春宮院內戲台看長春宮

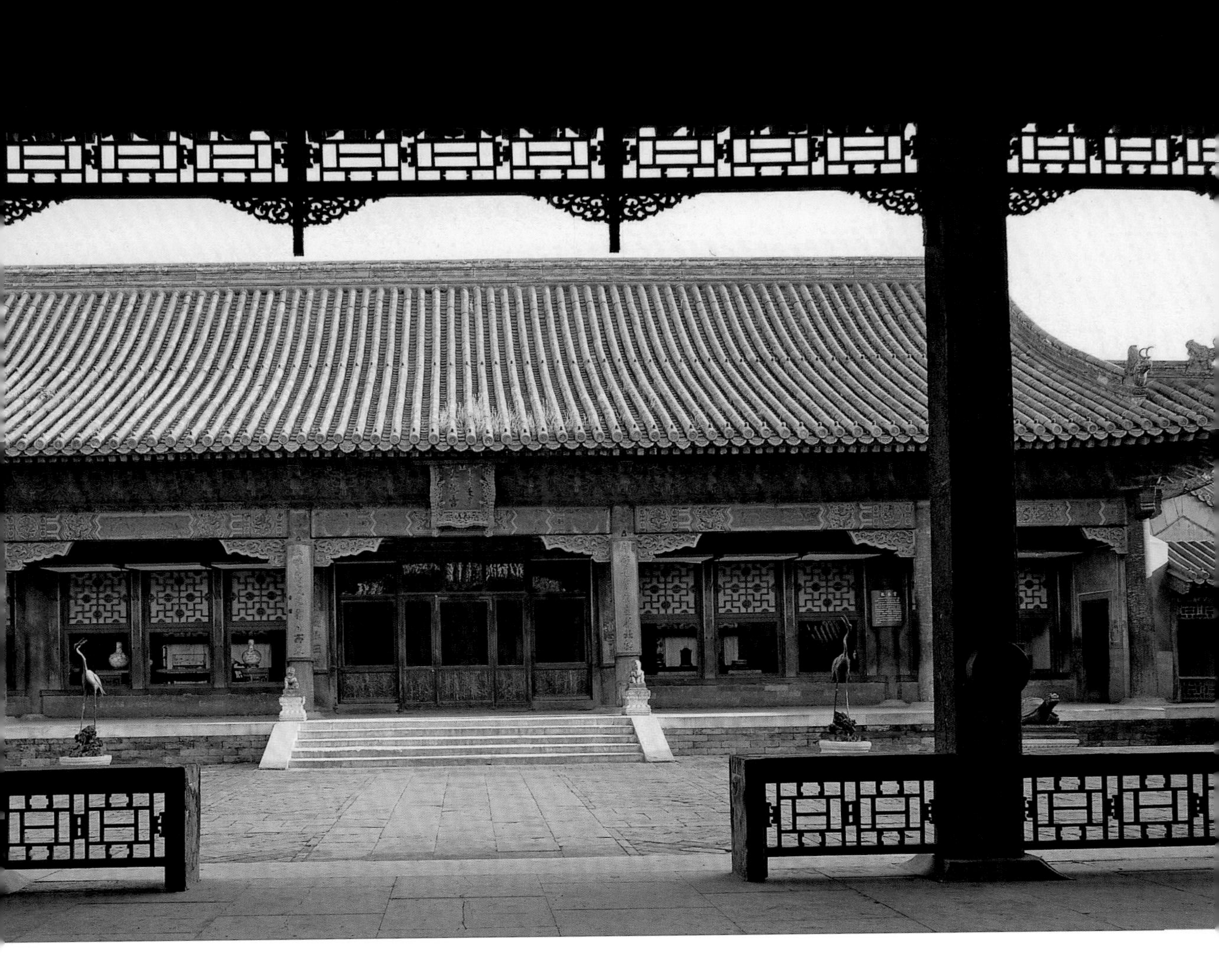

西六宮・太極殿

太極殿初名未央宮，因明代嘉靖皇帝的生父朱祐杬（興獻王）生於此宮，所以在嘉靖十四年（1535）更名啟祥宮。清代又改名為太極殿。清末同治帝的瑜妃住在這裏。殿前有高大的琉璃照壁，與東西殿組成了一個寬敞的庭院，在蔥翠的樹蔭下顯得非常靜雅。

太極殿內松竹梅條桌

太極殿內景

東筒子直街

東筒子西為內廷東側的宮牆，東為寧壽宮西側的宮牆。寧壽宮一區建築，為乾隆帝時修建，乾隆準備當太上皇時使用，但他從未住過，而是一直住在養心殿。慈禧太后六十歲生日前後曾以此做寢宮。

東筒子朱車值房外牆

園林

紫禁城中的園林均係內廷宮殿的附屬花園。比較集中的有四處：御花園、建福宮花園、慈寧宮花園和寧壽宮花園。坤寧宮的宮後苑，也就是後宮的御苑，由於清代皇帝、皇后自雍正以後遷出後宮，遂稱御花園。慈寧宮南專為太后而設的花園稱慈寧花園。乾隆皇帝住養心殿，由於欣賞幽靜雅致的建福宮，遂在其西側建立建福宮花園，也稱西花園。寧壽宮花園是乾隆皇帝改建寧壽宮時所建的花園，後來也稱乾隆花園。

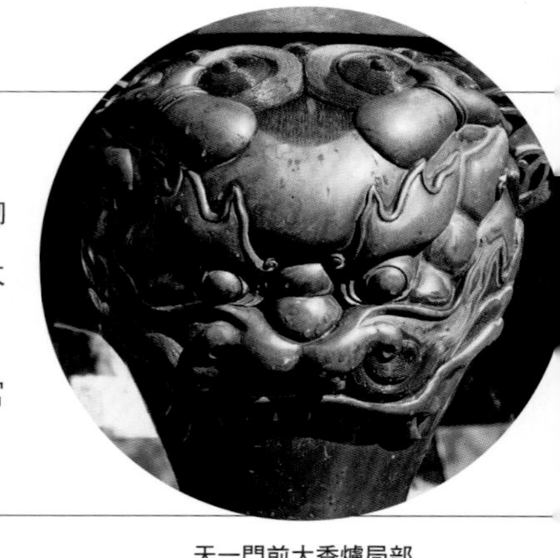

天一門前大香爐局部

這些花園規模上與「三海」（北海、中海和南海的合稱）、圓明園、頤和園等皇家園林迥然不同，既無山野水面的自然條件，又無寬闊豁亮的場地。四個花園的總面積僅得 3 萬餘平方米，每個花園只相當於一個中小型的私家園林。但因處於宮內，屬皇家園林，在建築上也別具一格。

紫禁城內的花園佈置主要是根據地勢情況採取不同的手法。如果花園位置在主要宮殿軸線上，則採取均衡對稱，左右呼應的佈局。如御花園位於紫禁城軸線上就採取這種方法。

千秋與萬春兩亭，澄瑞與浮碧兩亭是對稱的方法，堆秀山與延暉閣，絳雪軒與養性齋，均為遙相呼應，保持了中軸線的基本格局。慈寧花園也居於慈寧宮軸線上，如咸若館居中，以吉雲、寶相為左右兩側配樓，是絕對對稱的手法。如果花園位置不在宮殿軸線，而是在主體宮殿之側，佈局則靈活多變。以曲徑通幽，迂迴曲折，取得步移景遷的藝術效果。建福宮花園與寧壽宮花園就是如此，把私家園林手法和宮殿氣氛協調起來。

從功能內容上看，紫禁城內園林，多數的亭台軒館是為休憩、遊賞而建，也有不少殿堂閣樓是專供敬神、崇佛、齋戒、頤養、藏書、閱覽等用。因此，它們成為皇帝和皇室成員在紫禁城內日常活動的主要場所之一，也就極其自然了。

天一門前的大香爐

天一門

水磨磚造的券門，位於中軸線上，是欽安殿的正門。門前有鎏金麒麟及隕石台座各一對，門內有合歡樹一株，天一門與坤寧門之間有銅爐一座。

御花園

御花園，明代稱為「宮後苑」，係永樂年間與紫禁城宮殿同步建造而成，以後不斷增修，但仍保持着初創時的基本格局。園中不少殿宇和樹石，都是十五世紀的明代遺物。

全園南北深 80 米，東西寬約 140 米。園內的主體建築── 重簷盝頂的欽安殿，坐落在紫禁城的中軸線上。園內以它為中心，東西大致對稱地佈置了近二十座建築。但由於多數建築倚牆而建，只有小巧的亭台立於園中，因此園內尚顯得比較舒曠、空敞。

清代御花園內延暉閣選秀女照片

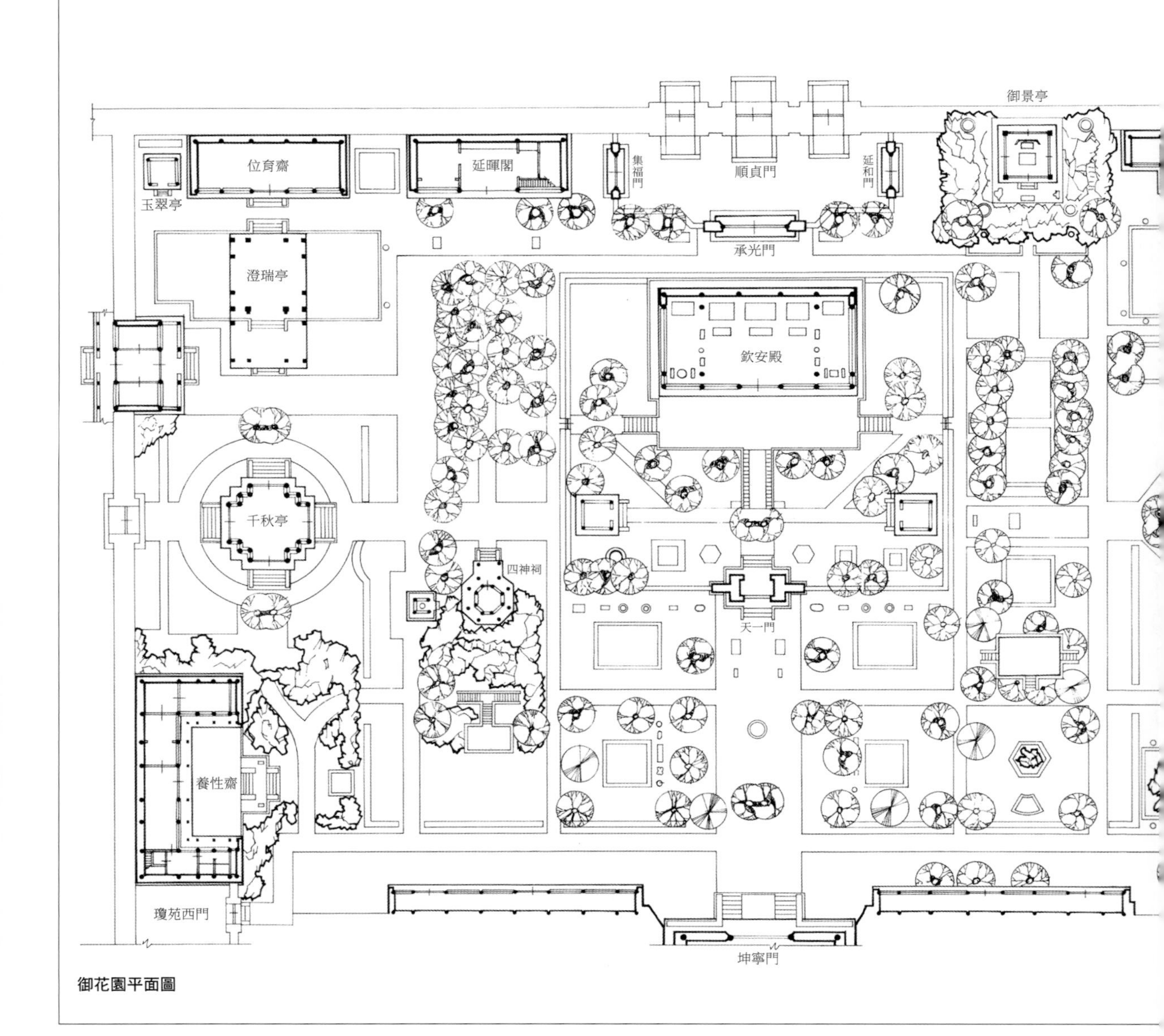

御花園平面圖

山上的御景亭建於四周護有漢白玉石欄杆的台基上，山的東西有蹬道可上，山前有門，門內是石洞，進門沿石階盤旋而上可達山頂御景亭。登上此山，極目遠眺，西山在望；俯瞰則紫禁城盡收眼底。

清宮中每年七月初七在御花園中祭祀牛郎星、織女星，皇帝拈香行禮，皇后、皇貴妃、貴妃、妃嬪等人再行禮。八月中秋之夜在此祭月，九九重陽節在此登高。

養性齋

在御花園西南隅，為七楹的閣樓。齋前假山堆圍，並有平台。與東南隅的絳雪軒本是對稱的建築，但在平面造型上一凸一凹，體量上一高一矮，對稱而不呆板。

御花園各處安置有各式盆景，千奇百怪，異常珍貴。

園裏的花樹，多為明代時栽。古柏老槐，鬱鬱蔥蔥，園內又羅列奇石玉座，盆花樁景，連地面也用各色卵石鑲拼成福、祿、壽文字及花卉、人物等各種圖案，將花園點綴得極其富麗。

海參石

「海參石」在御花園東側銅獬豸之前。它那圓滑柔軟的形態，肉感很強的外形，很像一段段海參。這是由數十段石質海參組成的插屏式陳設。

諸葛亮拜北斗隕石

這塊狀似僧帽的奇石不以雕鑿取勝，而以自然形成畫面而聞名。石面上一個形象逼真的躬身下拜的老人，頭戴道布、身着紫褶、長袖下垂，雙手拱起，面對前方黑石上點點星斗，作拜揖狀，形態生動，讓人聯想起精通天文的諸葛亮。

木化石

絳雪軒迎面雕石架座上屹立的是一段遠古的木化石。這段石粗看不像石質，好像是一段經久曝曬的朽木，背面有千百個蟲蛀孔，但敲之鏗然有聲，確是石質。石的正面有乾隆丙戌年（1766）的題句。

御花園的甬道以不同顏色的細石砌成各種圖案。路面的圖案組成，全園是一個整體，但每幅圖案又有獨立的內容，花石子路上的圖案總計約有九百幅，其內容有人物、風光、花卉、博古等，種類繁多，沿路觀賞，美不勝收。

頤和春色

御花園石子路

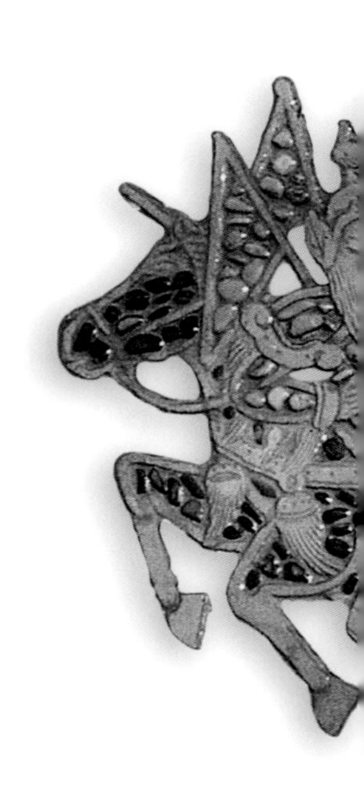

鶴鹿同春

關黃對刀

慈寧宮花園

慈寧宮南花園是乾隆年間在明代建築的基礎上改建的。花園的攬勝門內，疊有山石一座，起了「開門見山」的障景作用。山石之後，花台上萬紫千紅，映襯出跨池而建的臨溪亭。池亭周圍，又有含清齋、延壽堂和東西配房相向而立，使臨溪亭自然地成為花園南部的觀賞中心。花園北部的咸若館是全園的主體建築，其後及左右皆有重樓：館北是慈蔭樓，東廂是寶相樓，西廂是吉雲樓，圍成半封閉的三合院，既是花園北部的屏障，又使園西一區建築顯得低平、近人。

園裏建築物佈置規整，左右對稱，靠其精巧的裝修和周圍的水池、山石烘托出濃厚的園林氣氛，而園地蒔栽的梧桐、銀杏、松柏等樹，可收四時成景的效果。

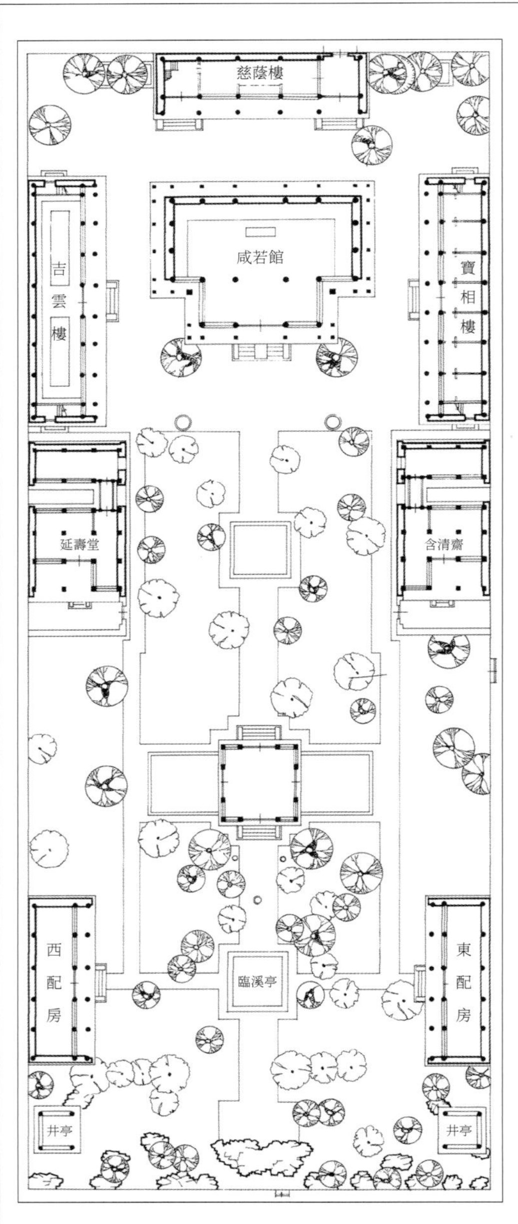

臨溪亭

臨溪亭建於橋上，橋架於一個長方形的水池上，水池四面立漢白玉欄杆。亭四面有門窗，可以全部打開。自亭東西可俯望池中游魚和蓮花。

慈寧宮花園平面圖

慈寧宮花園內銀杏樹

含清齋勾連搭式屋頂

慈寧宮花園鳥瞰圖

慈寧宮花園內假山石子路

建福宮花園

建福宮西花園建於清乾隆五年（1740），它的園門設在建福宮惠風亭後，門內是以靜怡軒、慧曜樓一組建築為主體的院落，甚為封閉、安謐。有了這種過渡性的安排，它西邊的以延春閣為主體建築的院落便顯得開敞一些。延春閣的北邊和西邊，倚宮牆而建有吉雲樓、敬勝齋、碧琳館、妙蓮華室和凝暉堂，它們不僅以富華、豔麗的建築立面遮蔽了平直的宮牆，而且在一片樓堂連宇、花廊縱橫的空間裏襯托出延春閣的高聳和宏偉。延春閣的南邊疊石為山，岩洞磴道，幽邃曲折，山上又列奇石、亭建，間以古木叢篁，饒有林嵐佳致。

建福宮西花園的建造形式，深得乾隆皇帝的喜愛，成為他以後營建寧壽宮西花園的主要樣板。可惜在溥儀搬出紫禁城的前夕，花園遭焚，只存下惠風亭和一片山石了。

建福宮花園的圍棋盤石桌

建福宮花園火災後照片

建福宮花園平面圖

被燒毀之前的建福宮延春閣

乾隆皇帝將他最鍾愛的珍奇文物收藏建福宮，並經常在花園內寫詩賞畫。嘉慶時，下令將其全部封存，這裏成了名副其實的藝術寶庫。

1923 年 6 月 27 日，建福宮花園突然燃起一場神秘大火，整座花園連同無數珍寶一夜之間化為灰燼。當時還住在紫禁城內的清朝末代皇帝溥儀懷疑是太監監守自盜，縱火毀滅證據。自此，建福宮花園就沉睡在瓦礫之下長達 80 年之久。1999—2006 年，故宮博物院對建福宮進行了復建。

寧壽宮花園

寧壽宮花園建於乾隆三十六年到四十一年（1771—1776）。花園佔用了南北深 160 米、東西寬 37 米的縱長地帶，前後劃分為四進院落，佈局緊湊、靈活，空間時閉時暢，曲直相間，氣氛各異。

首進衍祺門，迎面是石山，繞過石山豁然開朗。主體建築古華軒坐北居中，古華軒庭院東階下，佈置了山石亭台，構成一個比較自由的建築院落組合。西面禊賞亭抱廈中設「流杯渠」，渠做如意形迴繞，引水於渠中，杯浮於水上，飲酒詠詩，可作「曲水流觴」之樂。東南角上另有院中之院，廊曲路回，頗有雅趣。

衍祺門

衍祺門是寧壽宮花園的正門。開門，迎面便可看到一座玲瓏剔透的山屏。山屏背後，松柏枝梢搖曳，山前是一條曲折的小徑，用五顏六色的石片鋪墁成冰裂圖案。這種入口設計是一種一阻一引的中國園林「曲徑通幽」的手法。

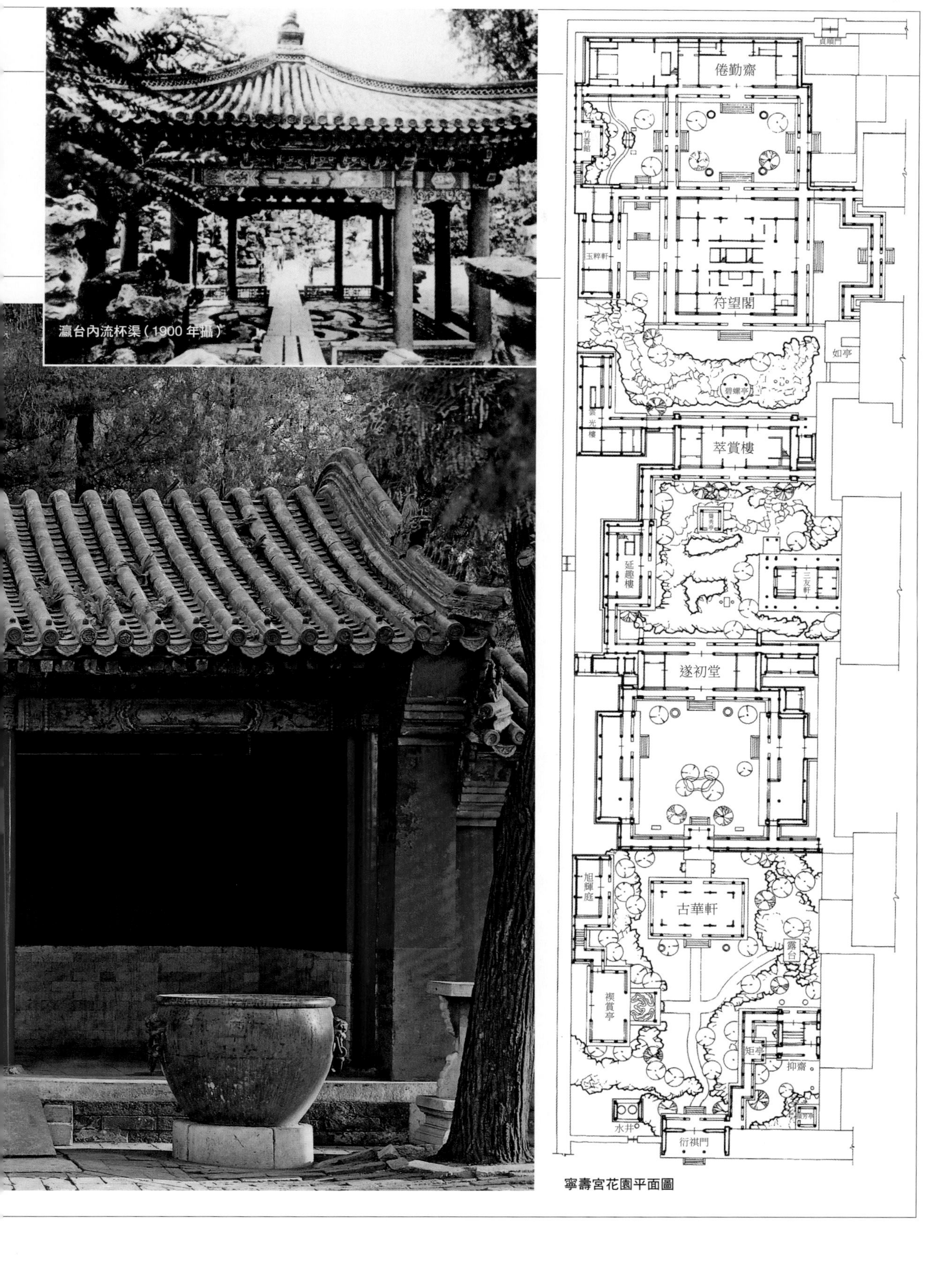

瀛台內流杯渠（1900 年攝）

寧壽宮花園平面圖

禊賞亭內流杯渠

渠水來自亭南側假山後掩蔽的水井，汲水入缸，經假山內暗渠流入渠內。上下水道都隱在假山下，好像源泉湧自山崖，在設計上煞費苦心。在慈寧宮花園的綠雲亭內及中南海也有相類的流杯渠。

寧壽宮花園內流杯渠貯水用的海缸

禊賞亭

平面為凸形，三面出歇山頂，中間為四角攢尖的亭式建築，與東面承露台遙相呼應，另與古華軒成並蒂蓮狀的對景。命名取晉王羲之「蘭亭修禊」之典。明間後設黑漆雲龍屏門，擋住了亭後的高牆，有延伸花園西進之感。北側有遊廊接旭輝庭。

寧壽宮花園・古華軒

古華軒為寧壽宮花園第一進院落的主體建築，建於乾隆三十七年（1772）。軒坐北面南，為歇山捲棚式敞軒，面闊三間，正面懸掛乾隆帝御筆「古華軒」木匾。

古華軒坐北處中，四周環以迴廊，周圍安裝坐凳與拱楣。軒內是楠木本色鑲嵌天花，雕百花圖案，古樸淡雅。軒前有古楸一株，是建軒前故物，有意保存，作為軒前借景，花冠甚美，因之得名，乾隆帝曾賦有《古楸行》。

古華軒之東湖石堆疊的山巒主峰上建有承露台，四周白石雕欄環繞，透過掩映的松柏，看過去極為精巧秀麗。台下山石間闢有門，洞北洞東有石階可到台上，假山下有一座小洞式佛堂，精巧別緻，引人有深山古剎的聯想。

左圖 **仰看承露台**
右圖 **假山下佛堂洞門**

古華軒南望

古華軒內簷和後簷四間懸掛木雕龍匾四塊，明間楹聯一副，均是乾隆帝為古楸而題。軒前簷下有古楸一株，構軒時樹齡已逾百年，倚樹建軒，故名「古華軒」。古華軒的裝修古樸素雅，尤其軒內天花別具一格，擯棄通常的彩繪裝飾方法，採用以捲草花卉為圖案的楠木貼雕，典雅高貴，氣度不凡。由於圖案凸起於天花板之上，在光影的變化中產生很強的立體感，雖不如彩繪貼金般光燦奪目，但其藝術韻味和裝飾效果卻獨具一格，別出心裁。

寧壽宮花園・倦勤齋

倦勤齋位於寧壽宮花園最北端，係仿建福宮花園中的敬勝齋而建。倦勤齋的裝修更精，掛簷以竹絲編嵌，鑲玉件，四周裙板雕《百鹿圖》，隔扇心用雙面透繡，處處精工細雕，令人歎為觀止，為乾隆時期內簷裝修之精品。

從禊賞亭到倦勤齋，寧壽宮花園內共有建築物二十餘座，類型豐富、大小相襯、虛實對比，有的還因地制宜，在平面和立面上採用了非對稱的處理，在制度嚴謹的禁宮之中，尤其顯得靈巧、新穎。

全園山石亭景別具風采。各進院落的山石，採用了不同的疊壘技巧，既有單豎的奇石，又有成羣的峰巒，崖谷峻峭、洞壑幽邃，同周圍的建築物相配合，給人以華美、精巧的印象。

倦勤齋正間寶座

向榮》等；而皇帝、皇太后萬壽生日，則上演《四海升平》《萬壽無疆》等，多是歌功頌德和吉祥如意的帝王神仙戲。到光緒中期，才有宮外戲班入宮承應，演社會上流行的名劇如《拾玉鐲》《雙包案》等。演出地點多在長春宮、漱芳齋和暢音閣大戲台。到光緒後期，當時社會上的著名京劇演員如譚鑫培、梅蘭芳等都曾入宮演出。

戲單

宮廷劇本，是由專門寫字人抄寫的。用於排演的劇本叫作「公用本」，供皇帝看戲時閱覽的叫「安殿本」，朱色句讀，精楷繕寫，規格嚴整。收錄每齣戲的唱詞、說白、排場、行當、穿扮、砌末等一應內容。

暢音閣戲台下層正面

暢音閣大戲台

暢音閣大戲台是清宮中最大的戲台，在寧壽宮後東路的閱是樓院中，為「三重崇樓」，建於乾隆三十七年（1772），曾於嘉慶七年（1802）和光緒十七年（1891）重修。

暢音閣戲台共三層，上層稱「福台」，中層稱「祿台」，底層稱「壽台」。有木樓梯可供上下。壽台是一個面闊三間、進深三間的方形台面，很寬敞，面積相當於普通戲台的九倍。壽台場門分設在台後兩側。場門上方是橫列於台後的仙樓，從仙樓上可下到壽台，又可上到祿台，均由木蹬踏垜上下。壽台台面下的中央和四角，有五口地井，平時演戲，蓋上木板，使

暢音閣戲台外景

暢音閣大戲台雖然是乾隆皇帝所建，但由於他並沒有在寧壽宮居住和遊息，所以他在暢音閣看戲機會很少，經常看戲的地方，是漱芳齋和後殿金昭玉粹。到乾隆後期，遇有大節如元旦、萬壽等，才在暢音閣看戲。暢音閣演戲最多的是在慈禧太后當政時，不論是住在儲秀宮還是住在寧壽宮的樂壽堂，凡遇大節，慈禧總是到暢音閣看戲，並由皇帝、后妃、命婦以及王公大臣陪同。

用時打開，靠安裝在地下室的絞盤將佈景托出台面。如演《地湧金蓮》時，坐着五尊菩薩的五朵大蓮花座，就是從這五口地井徐徐升上台面的。中央的一口地井，地下有水，那是為了引起共鳴，增加音響效果。壽台的上方，另有三個天井，是在演某些戲種時，用軲轆架將人或佈景送下壽台。如演《羅漢渡海》時，「海市蜃樓」就是從二層天井吊下壽台的。

暢音閣戲台的後部，是兩層的扮戲樓，是演出的輔助用房。面闊五間，進深三間，空間相當高大。屋頂同戲台的二層屋簷連搭一起，構成一座前高後低有起伏的大型戲樓。

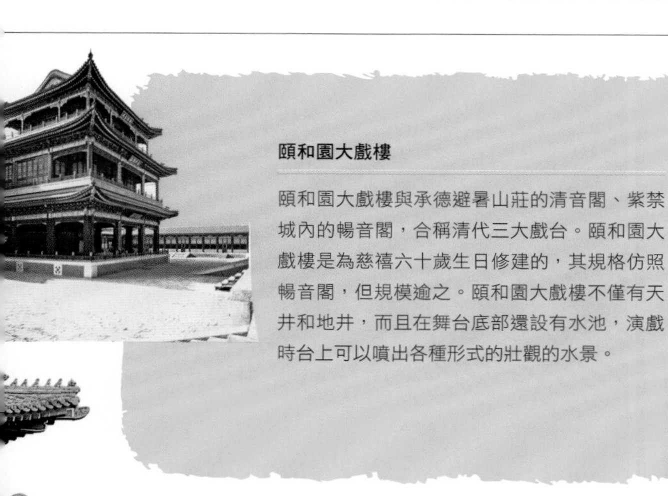

頤和園大戲樓

頤和園大戲樓與承德避暑山莊的清音閣、紫禁城內的暢音閣，合稱清代三大戲台。頤和園大戲樓是為慈禧六十歲生日修建的，其規格仿照暢音閣，但規模逾之。頤和園大戲樓不僅有天井和地井，而且在舞台底部還設有水池，演戲時台上可以噴出各種形式的壯觀的水景。

暢音閣中層內景

暢音閣上層內景

暢音閣福台和祿台的台面範圍很小，這是根據坐在閱是樓寶座上看戲的皇帝的視線而設計的。當演出《九九大慶》等承應大戲時，數以百計的神佛角色，同時在福、祿、壽三層台上出現，構成大幅有聲的、活動着的「朝聖圖」、「羣仙祝壽圖」和「極樂世界圖」，場景是十分有趣的。

暢音閣後台一角

光緒十年（1884）逢慈禧五十歲生日，九月二十二日至二十八日在暢音閣演大戲，十月初八至十六日又在暢音閣和長春宮同時演戲九天，每天演戲達六七小時。十月十日生日這天，慈禧在暢音閣看戲，坐在閱是樓正中，兩旁是光緒和他的后妃。閱是樓東西兩廂是內廷王公、內閣大學士、六部尚書、御前大臣、軍機大臣及內務府大臣等。閱是樓及內外兩廂掛滿福祿壽燈四百五六十盞，真是鼓樂聲喧，燈火通明。為這次生日在暢音閣和長春宮演戲，購買戲衣、道具，耗白銀十一萬兩之多。清代宮中戲衣、道具至今尚保存完整。

倦勤齋頂部的海墁天花繪畫

倦勤齋室內小戲台

主要作為演唱岔曲之類用。

倦勤齋戲台前寶座

漱芳齋戲台

漱芳齋在重華宮的東翼院內，是乾隆年間改建西二所時增設的。這裏有大、小兩個戲台。大戲台在齋前院中，戲台每面四柱，當心間稍寬，作為台口。台的上方設有天井，覆以重簷歇山式屋頂，裝飾極為華麗。這是皇帝在新年元旦期間受賀或宴請王公大臣時看戲用的。小戲台在漱芳齋後「金昭玉粹」室內，為四角攢尖方亭，供皇家家宴時表演小節目或演出小戲之用。

漱芳齋院內戲台

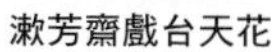

漱芳齋戲台天花

漱芳齋戲台台口「諧音」「佾舞」

漱芳齋內「風雅存」小戲台

長春宮戲台

西六宮長春宮和太極殿之間的體元殿，是清代晚期改建長春門時修建的。殿後北向出抱廈三間，可作演戲之用，是為長春宮戲台。戲台較為寬敞，柱間置有低平的木質坐凳欄杆和簡潔的倒掛楣子，甚為素雅。

梵華樓外景

梵華樓位於寧壽宮一區的東北隅。面闊七間，分上下兩層，前出廊，黃琉璃瓦硬山頂。樓室內保存有眾多的佛塔和佛像。

梵華樓二樓佛龕局部

梵華樓二樓內景

梵華樓一樓供奉的佛像與壁畫

梵華樓二樓供奉的佛像與壁畫

梵華樓內供奉的佛像

梵華樓佛龕內宗喀巴像

梵華樓佛龕內供奉的佛像

咸若館、慈寧宮大佛堂

咸若館在明代初建時稱咸若亭，萬曆十一年（1583）更名。清乾隆年間先後大修、改建，即今所見形制。

慈寧宮後大佛堂，是皇太后瞻拜禮佛、「以申悲悃」的地方。它與慈寧宮面寬一致，建在同一個台基上。當時大佛堂有太監充任喇嘛，每年十二月初五起在堂中唪經二十一天。平時的每月初六，舉行藏傳佛教的宗教儀式，如放「烏卜藏」、唪《金剛經》等。

慈寧宮花園後部的咸若館，東邊的寶相樓，西邊的吉雲樓，後邊的慈

咸若館內佛龕一角

蔭樓，都是供佛之所，供的是三世佛和救度佛母。先朝的后妃在這裏祝禱自己延年益壽，挨過殘生，修煉來世。

慈寧宮花園吉雲樓內佛像

咸若館明間佛像及五供

咸若館坐北朝南，正殿五間，前出抱廈三間，四周出圍廊。館內懸清乾隆皇帝御書匾額和楹聯，並陳設龕、案、佛像、法器、供物等。

雨花閣

雨花閣在春華門內，是宮中數十座佛堂中最大的一處，係乾隆十四年（1749）仿照西藏阿里古格的托林寺壇城殿，在原有明代建築的基礎上改建而成。雨花閣呈方形，立面分作三層，下面兩層腰簷分別覆以藍、綠琉璃瓦，屋頂則四角攢尖，覆以鎏金銅瓦。四條金光閃閃的巨龍騰躍於脊上，形制之奇特，裝飾之華美，宮中少見。雨花閣內供奉西天梵像，每年四月初八等日，都會派喇嘛在閣內唪經。雨花閣院內的西北角為梵宗樓，供文殊菩薩。雨花閣後的昭福門內原有寶華殿、香雲亭、中正殿等，都是供佛和喇嘛唪經的大型活動之處，於 1923 年被火焚毀。

雨花閣內的壇城

壇城，或稱道場，即大曼荼羅，為佛教密宗祭供諸佛及諸德的一大法門。此壇城建於乾隆二十年（1755），坐落在漢白玉雕花圓座之上，外用硬木做重簷亭式罩，壇城則為嵌絲琺瑯工藝製成，內以「大威德金剛」（文殊菩薩化身）為主尊造像，加之其眷屬（密宗把隨從、其系統稱為眷屬）。壇城建在金剛交杵之上，以紅、黃、藍、白、黑色顯五方，壇城上宮殿幡幢莊嚴，供養着仙樂、飛天仙女等。其下鐵圍山內為八大寒林，即密宗所稱的「八大地獄」。

雨花閣內設三大壇城，依據的是密宗教義常規術語：「六大四曼三密如其次第，配於體相用之三大。」「三密」為密宗所指的身、意、口，配於體（身體）、相（形象）、用（使用），雨花閣壇城就是三密圓滿具足的體現。

雨花閣內壇城局部

雨花閣外觀三層，實際是設有四層的樓閣式建築，為「明三暗四」的格局。安置壇城的一層稱智行層，在一、二層之間靠北部設有暗層，稱德行層，供奉行部佛像九尊。

雨花閣二樓內景

雨花閣二樓樓梯間

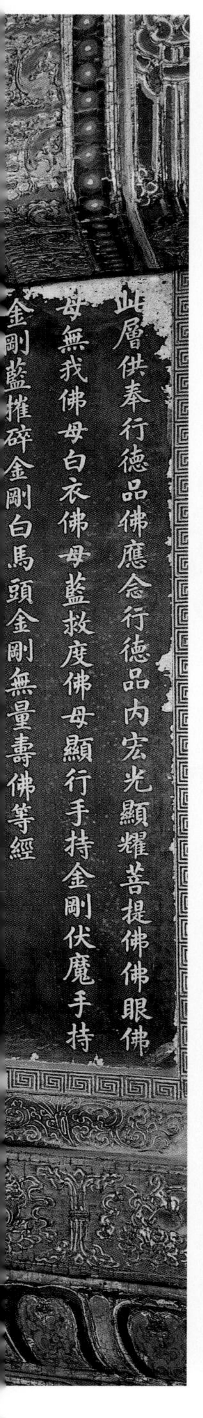
此層供奉行德品佛應念行德品内宏光顯耀菩提佛佛眼佛
母無我佛母白衣佛母藍救度佛母顯行手持金剛伏魔手持
金剛藍摧碎金剛白馬頭金剛無量壽佛等經

英華殿

英華殿在壽安宮之北，創建於明代，康熙二十八年（1689）和乾隆二十七年（1762）重修。殿前的英華門東西兩翼有琉璃鶴照壁，姿態生動，為明代遺物。殿內供五蓮菩薩，明代皇太后和皇后都在這裏行禮拜佛。

英華殿殿內原供西番佛像。殿面闊五間，進深三間，單簷黃琉璃瓦廡殿頂。英華殿前長有菩提樹，又名畢鉢羅。樹根深葉茂，枝葉婆娑，下垂着地。盛夏開花呈金黃色，深秋結子可做唸珠，葉經加工可精製成佛教用品。

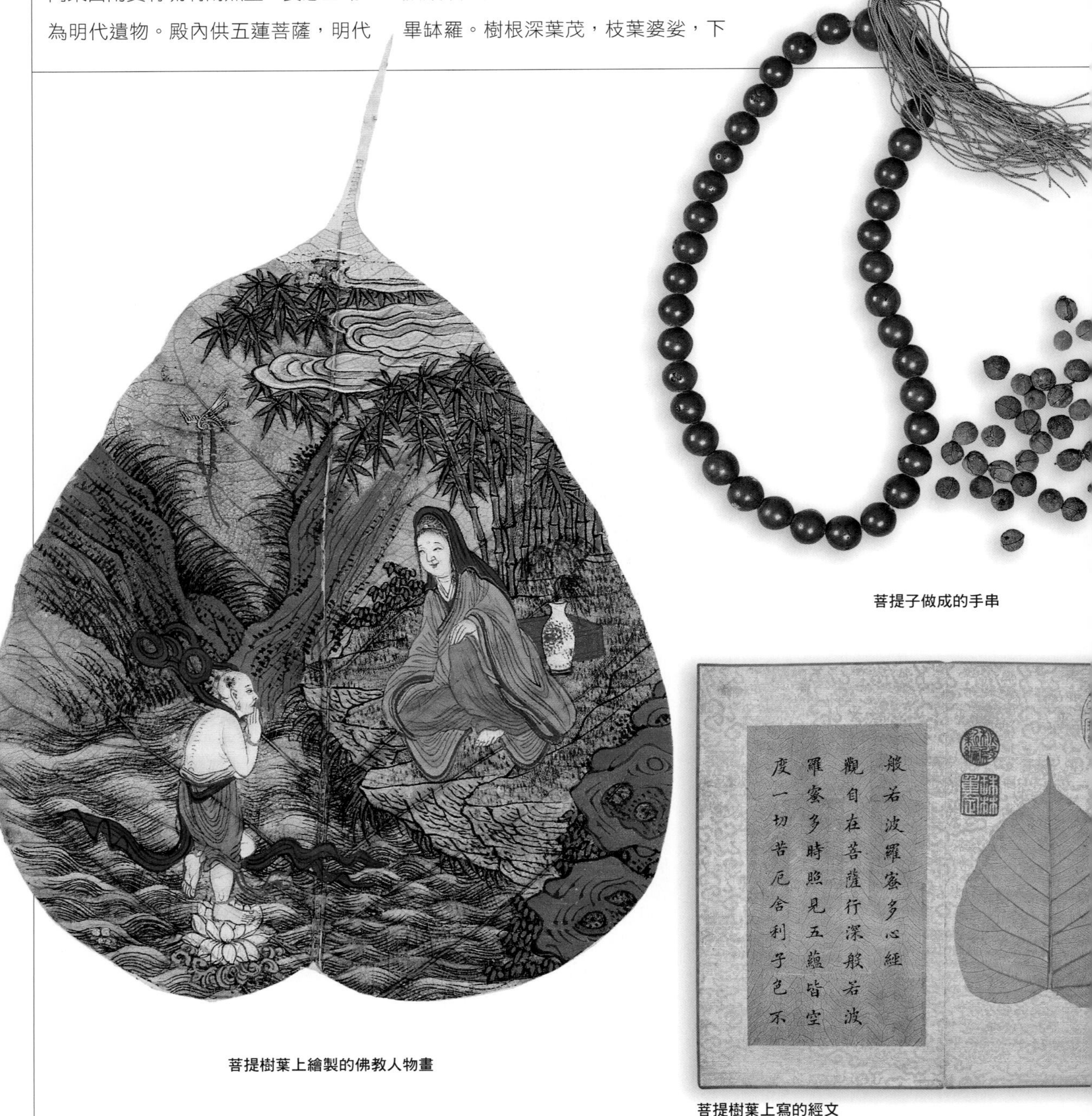

菩提子做成的手串

菩提樹葉上繪製的佛教人物畫

菩提樹葉上寫的經文

英華殿內供奉的佛像

欽安殿

欽安殿在御花園正中天一門內，御花園的中心，為明代所建，面闊五間，重簷盝頂，上安鎏金寶頂，形制奇特。台基石欄及御路雕刻極為精美，顯示了明代精湛的建築工藝成就。殿的四周有平矮的圍牆。帶琉璃照壁的天一門前列有金麒麟、花石，院內植以古柏修竹。殿內祀道教的玄天上帝。明、清時每年立春、立夏、立秋、立冬之日，架起供案，奉安神牌，皇帝前來拈香行禮。每年年節和八月初六到十八日為「天祭」，在宮

藏典籍，實為上書房、南書房的「書庫」。地設乾清宮前，以便皇帝日常「稽察」。

重華宮原是乾東五所的一所，是清高宗為皇太子時的住所，高宗即位後，升格為宮。宮的東配房名葆中殿，額為「古香齋」；西配房名浴德殿，額為「抑齋」。據《日下舊聞考》載：「凡園亭行館，有可靜憩觀書者，率以抑齋為名額。」由此可知，這裏原是清高宗的讀書處。

毓慶宮原是嘉慶帝為皇太子時居所。宮中的味餘書室和知不足齋都是他舊日讀書之處。「宛委別藏」則是嘉慶年間收藏四庫別本的地方。

另外，東華門北的國史館、文華殿前的內閣大庫、西華門內武英殿前後用房、東六宮的景陽宮，也都藏有大量的歷代冊籍，只是所貯書籍的內容、規模、用途不同而已。

文淵閣

清代的文淵閣建於乾隆三十九年（1774），歇山頂，閣高兩層，面闊六間，進深三間，前後出廊。閣內藏有《四庫全書》等重要典籍。

文淵閣

乾隆三十九年（1774），在文華殿後明代的聖濟殿（祀先醫之所）舊址上另建文淵閣。乾隆四十一年（1776）建成後，同文華殿相連，成為外朝的一個組成部分。

文淵閣的環境經過周密的佈置，閣後及西側以太湖石疊堆綿延小山，植有蒼松翠柏。閣東有一座四脊攢尖的方形碑亭，脊似駝峰，翼角反翹，仿江南建築物形式。亭中矗立隆碑，上鐫清高宗弘曆撰寫的《文淵閣碑記》。閣前鑿有長方形水池，圍以白石欄杆，欄板上飾有水族圖案。池中引入內金水河河水，池上架有白石拱橋，人行甬道均以卵石和片石鋪砌，造就一種幽雅的庭園氣氛。

文淵閣的裝修裝飾同庭院的氣氛也很協調。台基用城磚疊砌，上鋪條石。平直的城牆為清水磨磚絲縫，前簷廊的兩山各有券門，帶有綠琉璃垂花門罩。彩畫以冷色為主，立柱都用深綠色油漆。柱間下有回紋木欄杆，上有倒掛楣子。枋額繪有「河馬負圖」、「翰墨冊卷」等題材的蘇式彩畫。

文淵閣前石橋側景

閣頂正脊，綠色琉璃作襯底，紫色遊龍騰越其間，再鑲以白色線條的花琉璃。用這樣幾種冷色琉璃互相搭配，在紫禁城建築中是十分獨特的。

文淵閣的構造，參照浙江寧波天一閣的形式，閣長 34.7 米，進深三間，底層前後均出簷廊，共深 17.4 米。其外觀為兩層，而內部實為三層，即利用上層樓板下的空間，聯以迴廊，作為中層，擴大了使用面積。

浙江寧波天一閣

建於明嘉靖四十年至四十五年（1561—1566），由當時退隱的兵部右侍郎范欽主持建造，是我國現存歷史最悠久的私家藏書樓。閣內原有藏書大部分是明代刻本和抄本。

文淵閣前廊券門

閣前廊東西兩山各闢一座白石券門，上配以綠色琉璃垂蓮柱式的門罩，與灰色水磨絲縫的磚牆相襯，色調明快整潔。

文淵閣碑亭

文淵閣東側有一碑亭，與閣同時建造。亭內有高大石碑一通，鐫刻有乾隆帝撰寫的《文淵閣碑記》，背面是文淵閣賜筵御製詩。

文淵閣內貯藏清代乾隆三十七年至四十七年（1772—1782）編成的《四庫全書》一套，共計 79 030 卷，分裝 36 000 冊，納為 6 750 函。

另外還藏有《四庫全書總目考證》及《古今圖書集成》。這些書分別貯藏於楠木小箱中，安置在上、中、下三層的書架上。在上下層正中明間，均用書架間隔成廣廳，中央置「御榻」，供皇帝在閣內舉行經筵時使用。

《四庫全書》成書後，共繕寫七份，分藏於宮內文淵閣、圓明園文源

其他內閣用房集中在文華殿之南的院落中。正房是內閣大堂，堂內東廂為漢票簽處、侍讀擬寫草簽處、中書繕寫真簽處和收貯本章檔案處；西廂為蒙古堂，專門翻譯蒙、藏、回等民族文字和外國文字，以及管理蒙文實錄、聖訓等。西屋為滿本房，校閱滿文題本，繕寫滿文文件，收發進呈實錄，管理實錄庫及皇史宬；東屋為漢本房，收發通本，翻譯各項滿文本單等。

內閣堂後的屋內設有滿票簽處、滿票簽檔子房、稽察房和典籍廳，還設有中堂齋宿之所。其中典籍廳又分為南、北二廳，南廳收掌典籍廳大印，收發辦理文稿及官員考績等；北廳收掌國家寶璽和章奏，收藏紅本圖籍。

內閣大庫包括紅本庫和實錄庫，都在內閣堂之東，是兩棟磚木結構的二層庫房，共二十二間。為避外火，以磚為表，不露木植。庫內樓上樓下貯有明、清各種文檔、輿圖、卷案及大量史書等冊籍。它們北面的國史館貯有實錄、會典等。

內閣大堂外景

內閣大堂位於紫禁城東南側文華殿迤南，緊臨城牆。堂面闊三間，進深一間，帶前後廊，硬山造，黃琉璃瓦頂。清代的內閣是輔佐皇帝辦理國家大事的機構，內閣大堂是內閣官員辦事的地方。

軍機處

軍機處曾有「辦理軍機事務處」「總理處」等名稱，其值房位於乾清門外、隆宗門內，在北面一排連房的中間，其西為內務府大臣辦事處，東為侍衛值房。軍機處建築簡單，與一般值房並無差異，但從雍正七年（1729）設立，到宣統三年（1911）設立責任內閣為止的一百八十多年間，一直是清廷的權力中樞。

雍正七年，為了應付西北准噶爾部的叛亂，雍正皇帝特別揀選一些最為親信的滿、漢大臣為軍機大臣，在乾清門西邊小板房入值。這裏距養心殿很近，方便皇帝隨時召見議事。其性質原是內閣分局，是一個臨時性參謀部，後來隨着許多機密政務都由內閣轉到軍機處辦理，一切政事都由軍機大臣通過內奏書處進呈皇帝。軍機

軍機處內景局部

軍機處

軍機處值房不僅外形卑小，內部陳設也非常簡陋，除椅桌外，別無他物。值房南壁上有雍正七年雍正帝御書的「一堂和氣」匾一方；咸豐時太平天國運動被鎮壓後，咸豐帝寫了「喜報紅旌」匾一方作慶祝，掛在東壁。

軍機章京值房外景

處所管理的事也不再限於軍事，而是掌握全國的軍政要務，地位逐漸變得重要、突出，成為朝廷的中樞機構。軍機處小板房也在乾隆時代擴建成現狀的瓦房。

每次軍功告成之後，都會由軍機處的軍機章京纂輯方略，存入武英殿之北的方略館內。此外，午門內西廡二十二間中的翻書房（負責諭旨、敕文、御製詩文、起居注等的滿漢文互譯），也屬軍機處所轄。

軍機墊

軍機處外景

其他

清代皇帝在乾清門「御門聽政」或在內廷召見官員時，九卿衙門的主要官員——吏、戶、禮、兵、刑、工等六部尚書，都察院的左都御史，大理寺的大理寺卿，通政使司的通政使，都在乾清門外的九卿房值候。蒙古的貝勒、貝子、王公須在蒙古王公值房值候。

九卿房在景運門內北側，蒙古王公值房在景運門內南側。這裏與隆宗門裏的軍機處雖然相距不遠，卻不准到軍機處去同軍機大臣攀談，違者重處不赦。

宮內膳房甚多，其中最大的是箭亭東的外膳房。養心殿南有御膳房，專做皇帝用膳、各宮饌品及各處供獻節令宴席。東西六宮及太后宮，另有小膳房。

九卿房外景

蒙古王公值房外景

箭亭建在景運門外的廣場上。廣五間，周圍帶廊，上覆歇山屋頂，為武進士殿試閱技勇之處。在奉先殿誠肅門外及養心殿北的啟祥門等處都建有侍衛值房，立旗守護。太監總管住在坤寧宮北的靜憩齋中。

宮中有關機構

內務府公署設在西華門內、武英殿北，掌管宮廷內務一切事宜，又設奉宸苑、武備院、都虞司、慎刑司、營造司和慶豐司。其中同宮中有關的機構分述如右表。

武備院	管轄四庫：甲庫，專管盔甲刀等器械，設在體仁閣南的八間廡房裏；氈庫，專管弓箭靴鞋氈條等，設在昭德門內東西十一間廡房裏；北鞍庫，專管皇帝用的鞍轡、傘蓋、賬房、涼棚等，設在左翼門內南北各四間廡房和體仁閣四間南廡房裏；南鞍庫，專管宮用的等物，設在昭德門東的角樓裏。
上駟院	曾名「御馬監」，設在東華門內南三所之南，管理皇帝乘坐的御馬。馬廄就建在院署之旁，兼管南苑內廄。在紫禁城的西北角，有馬神廟，每年春秋為皇帝所乘坐的馬匹祀馬神。
廣儲司	當管六庫：銀庫、緞庫、衣庫、茶庫、皮庫和瓷庫。銀庫設在太和殿西弘義閣裏；銅器存在中和殿西廡房裏；自鳴鐘和御用冠服、朝珠存在乾清宮東的端凝殿裏；緞庫設在太和殿東體仁閣及中右門外的西廡房裏；衣庫設在弘義閣南的廡房裏。北五所敬事房之東有四執庫，也管理御用的冠袍、帶履等物。武英殿西的尚衣監，是製作御服之所。茶庫設在太和門內西廡房和中左門內的東廡房裏，東六宮之東也專設有茶庫及緞庫。乾清宮東廡設有御茶房；皮庫設在太和殿前的西南崇樓和保和殿東廡房裏；瓷庫設在太和殿前西廡及武英殿之西。
太醫院	設在東華門北側，專為皇帝看病。院旁有御茶房。另外端則門南與北五所的敬事房之西，還有壽藥房。

箭亭

箭亭位於奉先殿南面的一片開闊平地上，又名紫金箭亭，是清代皇帝及其子孫練習騎馬射箭的地方。箭亭雖然名為「亭」，實質上是一座獨立的殿堂。其亭角微翹，房脊成人字形墁坡，二十根朱漆大柱承托迴廊屋架，減少了中國古代建築中特有的斗拱重疊的層次，是清代少有的建築形式。乾隆帝和嘉慶帝都曾在這裏射過箭，操演過武藝。每當皇帝及其子孫在這裏跑馬射箭時，亭前擺起箭靶，八扇大門全部打開，人站在亭內開弓放箭，列隊兩邊的武士搖旗擂鼓助威，情景熱鬧。

啟祥門正面

箭亭外景

3 建築結構與裝飾

台基、欄杆

我國木構建築中，台基、屋身和屋頂為房屋的三個主要組成部分。商周以來，在宮殿建築中，台基的發展是極為突出的。戰國時各地諸侯以宮室的高台榭為美，台基日趨講究。高台周圍需設欄杆，因此台基與欄杆連為一體。而在最高等級的建築裏，把佛教中象徵世界中心的須彌山的佛像基座 —— 須彌座移植到房屋的台基上，更增加了建築的神聖與莊嚴感。北宋的《營造法式》裏也有「重台鈎闌」的做法。

祈年殿

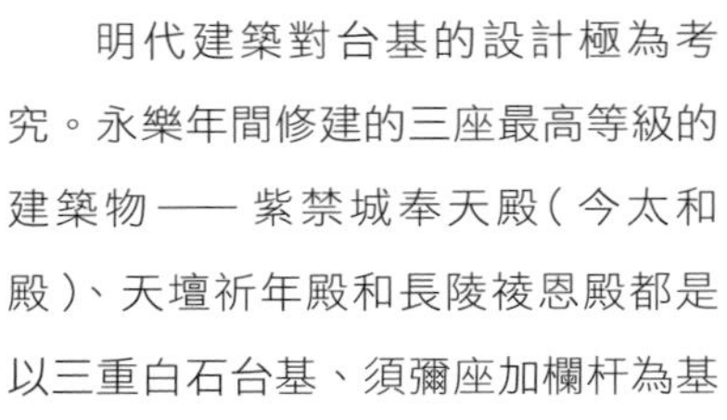

明代建築對台基的設計極為考究。永樂年間修建的三座最高等級的建築物 —— 紫禁城奉天殿（今太和殿）、天壇祈年殿和長陵祾恩殿都是以三重白石台基、須彌座加欄杆為基座，使建築物造型莊嚴、比例得當，更顯得宏偉壯麗。這一成就發展了中國建築台基的功能，把整座建築造型推向了一個新的高度。不難想像，如果奉天殿、祈年殿和祾恩殿這三座建築捨去下部的三重基座，是無法達到今天我們所能見到的這種莊嚴雄偉的藝術效果的。而在同樣採用三重台基欄杆的做法中，又按建築本身的造型

太極殿前石雕雙龍御路

養性殿前石雕水紋雙龍御路

欄杆

欄杆由欄板和望柱兩部分組成，置於台基之上。欄板由尋杖、荷葉淨瓶、華板三部分組成，其中花紋變化較多的是華板部分，刻有海棠線紋、竹紋、水族動物、方勝、夔龍等圖案。欽安殿更具特點的是穿花龍華版，其中心部位是兩條行龍，一條在追逐火焰寶珠，另一條在前面回首相戲，鬚髮飄動，鱗爪飛舞，神態活現。龍的襯底是各種花卉，每塊欄板的花紋組織又各不相同，欄板周邊是統一的二方連續圖案，其下是錦地，上邊為捲草紋，整個畫面組織得極為和諧。

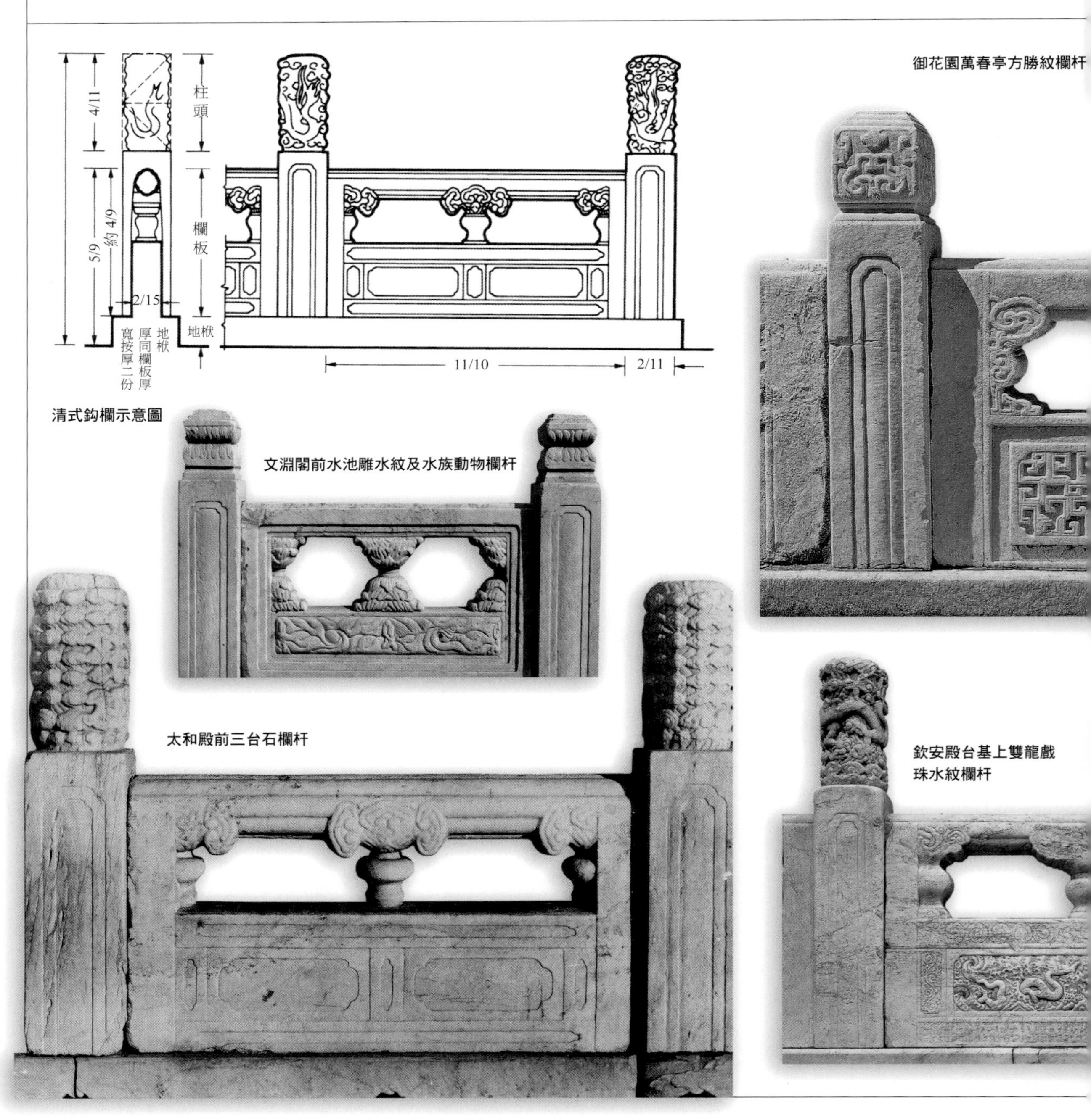

清式鈎欄示意圖

文淵閣前水池雕水紋及水族動物欄杆

太和殿前三台石欄杆

御花園萬春亭方勝紋欄杆

欽安殿台基上雙龍戲珠水紋欄杆

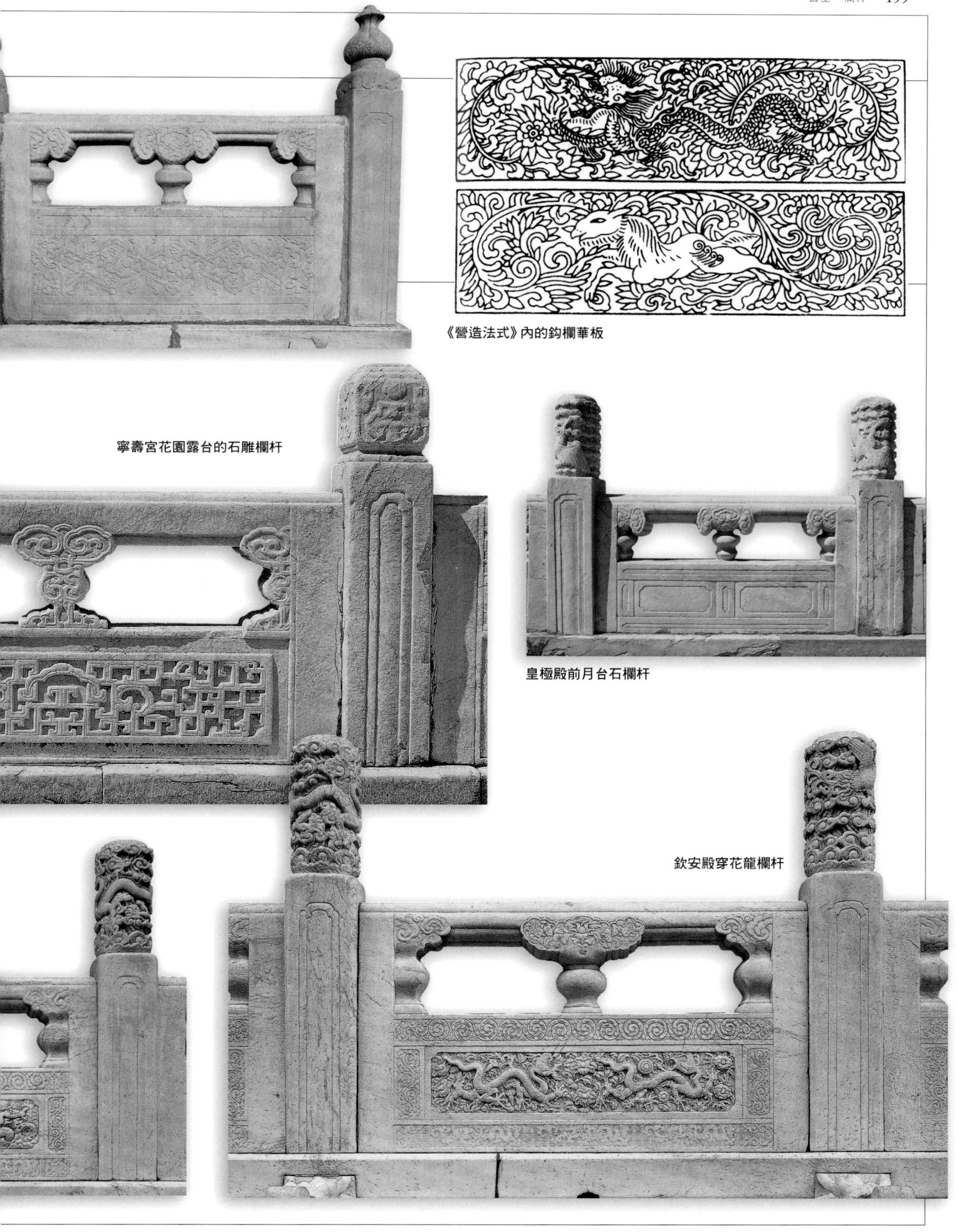

《營造法式》內的鉤欄華板

寧壽宮花園露台的石雕欄杆

皇極殿前月台石欄杆

欽安殿穿花龍欄杆

太和殿前三台螭首

寧壽宮花園碧螺亭梅花形柱礎

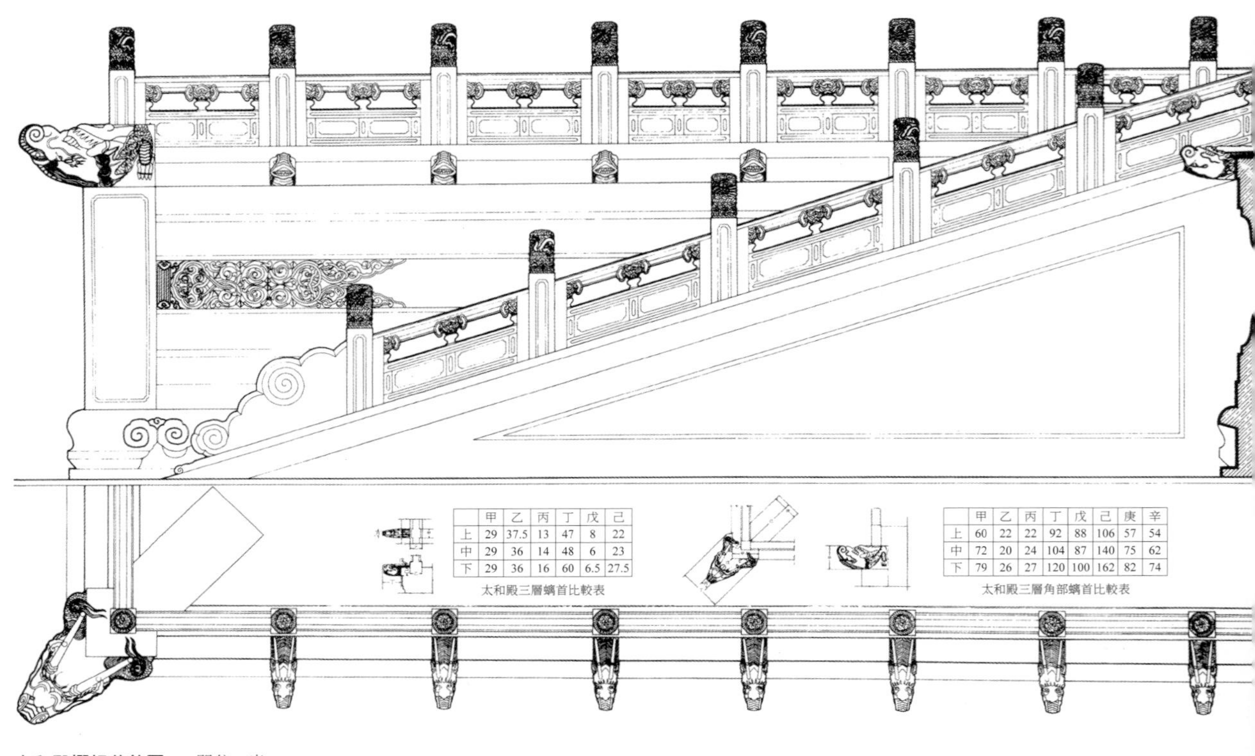

	甲	乙	丙	丁	戊	己
上	29	37.5	13	47	8	22
中	29	36	14	48	6	23
下	29	36	16	60	6.5	27.5

太和殿三層螭首比較表

	甲	乙	丙	丁	戊	己	庚	辛
上	60	22	22	92	88	106	57	54
中	72	20	24	104	87	140	75	62
下	79	26	27	120	100	162	82	74

太和殿三層角部螭首比較表

太和殿欄板花飾圖 單位：米

欽安殿穿花龍紋樣抱鼓石

寧壽宮花園禊賞亭石雕竹紋欄杆

皇極殿清式抱鼓石

望柱頭

望柱頭的圖案裝飾，隨着使用功能要求的不同而有變化。三大殿是皇宮的中心部位，也是皇權的象徵，因此作為它的台基的三台欄杆的望柱頭，全都採用龍鳳紋圖案。三大殿四隅崇樓的欄杆由於建築物本身地位次要，其望柱頭上的紋飾也就採用較次要的二十四氣的圖案。花園中的亭、台、樓、閣，周圍所用欄杆的望柱頭的圖案是石榴頭、雲頭、仰覆蓮、竹節紋。武英殿東斷虹橋兩側的石欄杆的望柱頭的雕刻最突出，望柱

欽安殿龍紋望柱頭

欽安殿鳳紋望柱頭

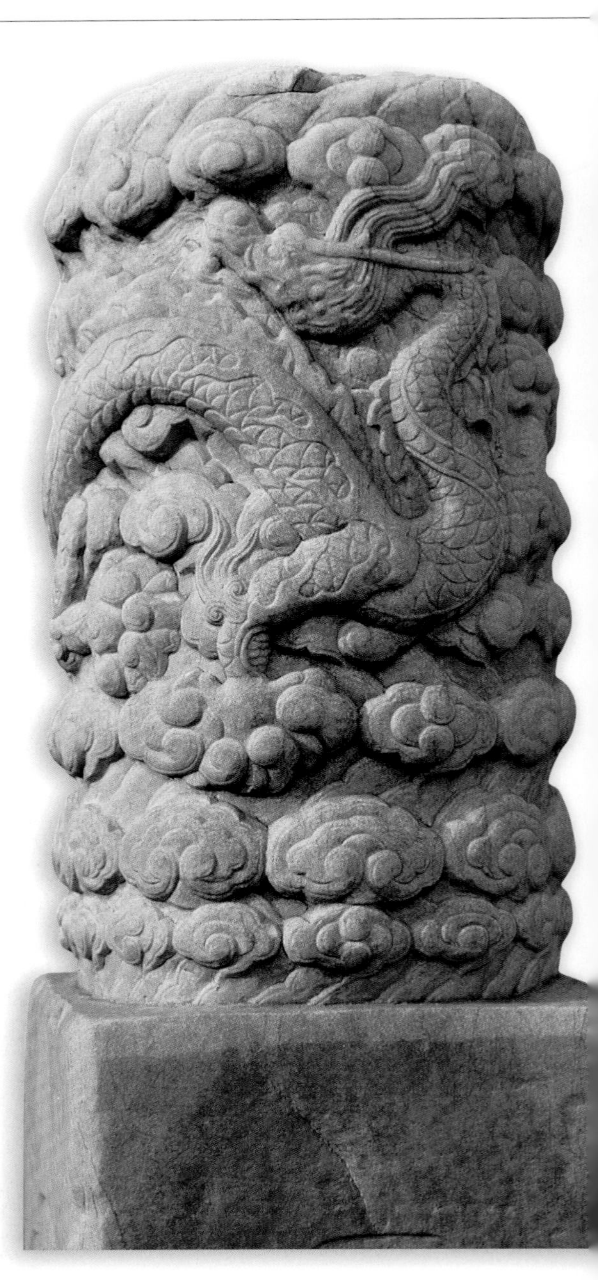

太和殿龍紋望柱頭

頭成荷葉狀，葉邊翻轉折疊，生動自然。荷葉上是盛開的蓮花，有三層花瓣，包着蓮蓬。頂上雕有獅子，姿態各異，雌雄有別，有的昂首挺胸，正襟端坐；有的側身轉首，迴環四顧；雄獅戲耍繡球，母獅撫弄幼子。那些小獅，大的高度只有 10 釐米，小的高度僅幾釐米。它們在母獅身旁爬、翻、滾、伏，有如小兒撒嬌，極為生動。這是紫禁城宮殿保存下來的望柱頭中的佳品。

協和門前二十四氣望柱頭

欄杆只用火炬形陰刻弧形線的望柱頭，名「二十四氣」。

神武門海石榴望柱頭

御花園澄瑞亭蕉葉形望柱頭

斷虹橋獅子望柱頭

文淵閣前水池欄杆仰俯蓮瓣紋望柱頭

樑架

紫禁城宮殿中各類形式的殿堂樓閣，在外觀上各具獨特的藝術風格，這與建築的內部構架是分不開的。

中國木構架體系發展到明代，宮式建築已經高度標準化、定型化、規格化。紫禁城宮殿是工部直接營建的，因此它更是當時工程的典範，是宮式做法的代表。木構架有抬樑、穿斗、井幹三種不同的結構方式，抬樑式構排架使用最為普遍，紫禁城的房屋也都是採用這種方法。

角樓角樑後尾

一般木構架是沿着房屋的進深方向，在石柱基礎上立柱，柱上架樑，樑上再置爪柱，柱上再架樑，逐層縮短，層層疊架，形成屋面的坡度，所以這種做法稱為抬樑法，也稱疊架法。在排架之間，用橫向的枋子聯繫脊爪柱的上端，並在各層樑頭和脊爪柱上安裝與排架相交的檁條，然後檁上釘椽承托屋面荷重，組成縱橫牽連的構架。

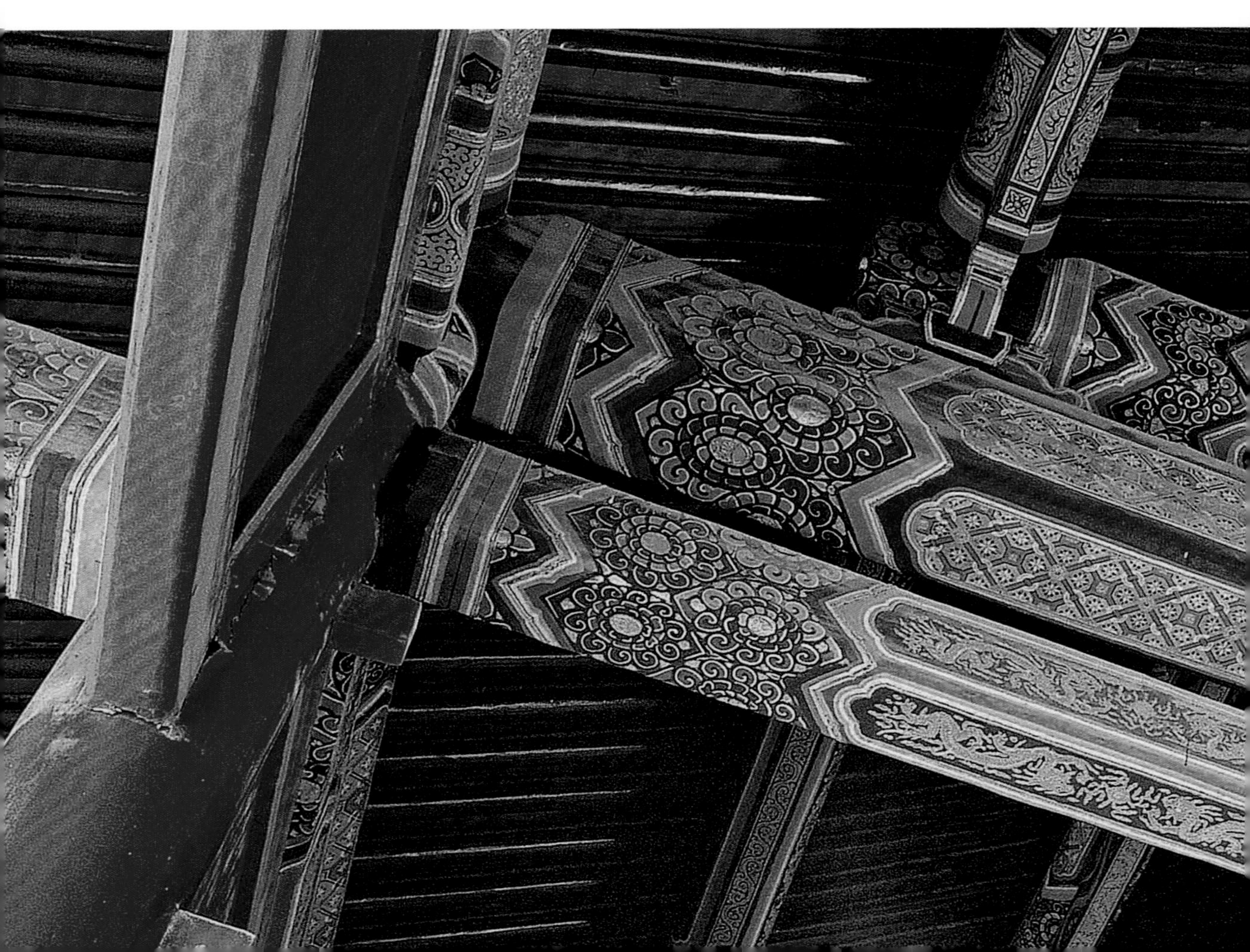

角樓抱廈大木結構

鍾粹宮樑架模型

鍾粹宮外景

後右門樑架結構

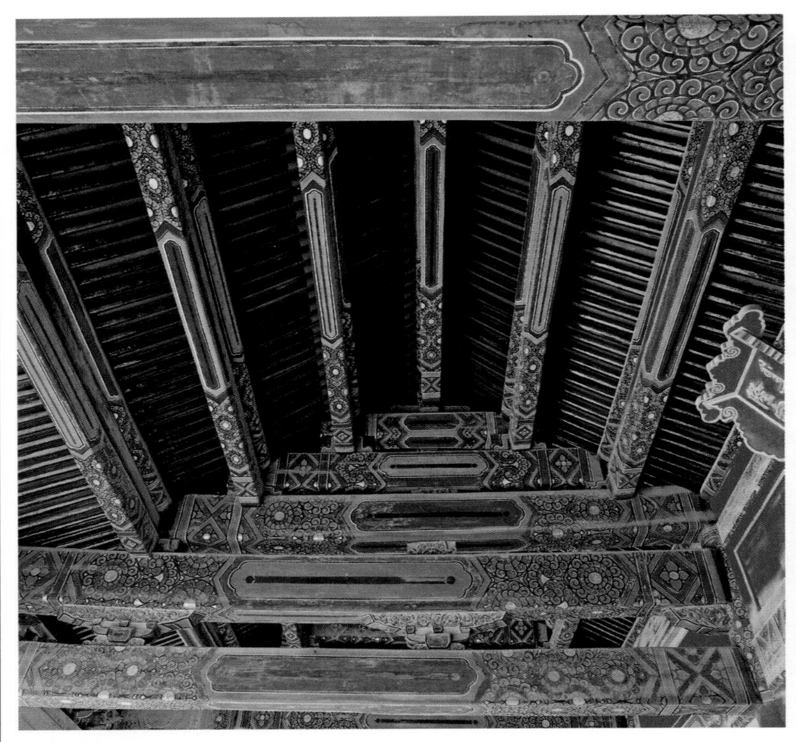

隆宗門樑架結構

太和門內樑架

昭德門樑架結構

直接結合外，還增加以斗拱作為過渡傳力的間接結合。這種結合方式等於增加了樑托，擴大結點的接觸面積，增加了構架的抗彎、抗剪、抗壓和抗震功能。

鍾粹宮柱頭科及平身科斗拱模型

鍾粹宮角科斗拱模型

太極殿平身科斗拱後尾

溜金斗拱

太和殿的正中一間，在兩柱之間的斗拱達八攢之多，上下兩層簷都是溜金斗拱。這種斗拱從等級制度來説是最高級的類型，其特點是在後尾有較長的秤桿與鄰近的內部勾連，加強了構件的整體性。

根據挑出的層數，斗拱有多種規格，使用時根據殿閣的大小、等級的高低而定。高大殿閣的斗拱也多高大繁複，出挑的層次也多。太和殿的下簷斗拱挑出四層（高為九材），上簷斗拱挑出五層（高為十一材），是斗拱中挑出層次最多的孤例。一般殿堂的斗拱挑出層次較少，配房廊廡如神武門值房、儲秀宮配房等多不做挑出的一斗三升斗拱。這樣的安排，不僅造型的權衡比例很合宜，而且在力學上也較合理。因為大殿的屋頂面積大，出簷大，斗拱的荷重大，所以用功能強、探挑層次多、彈性好、出挑多的斗拱；而廊廡的斗拱負荷小，出簷小，所以有不同的安排。

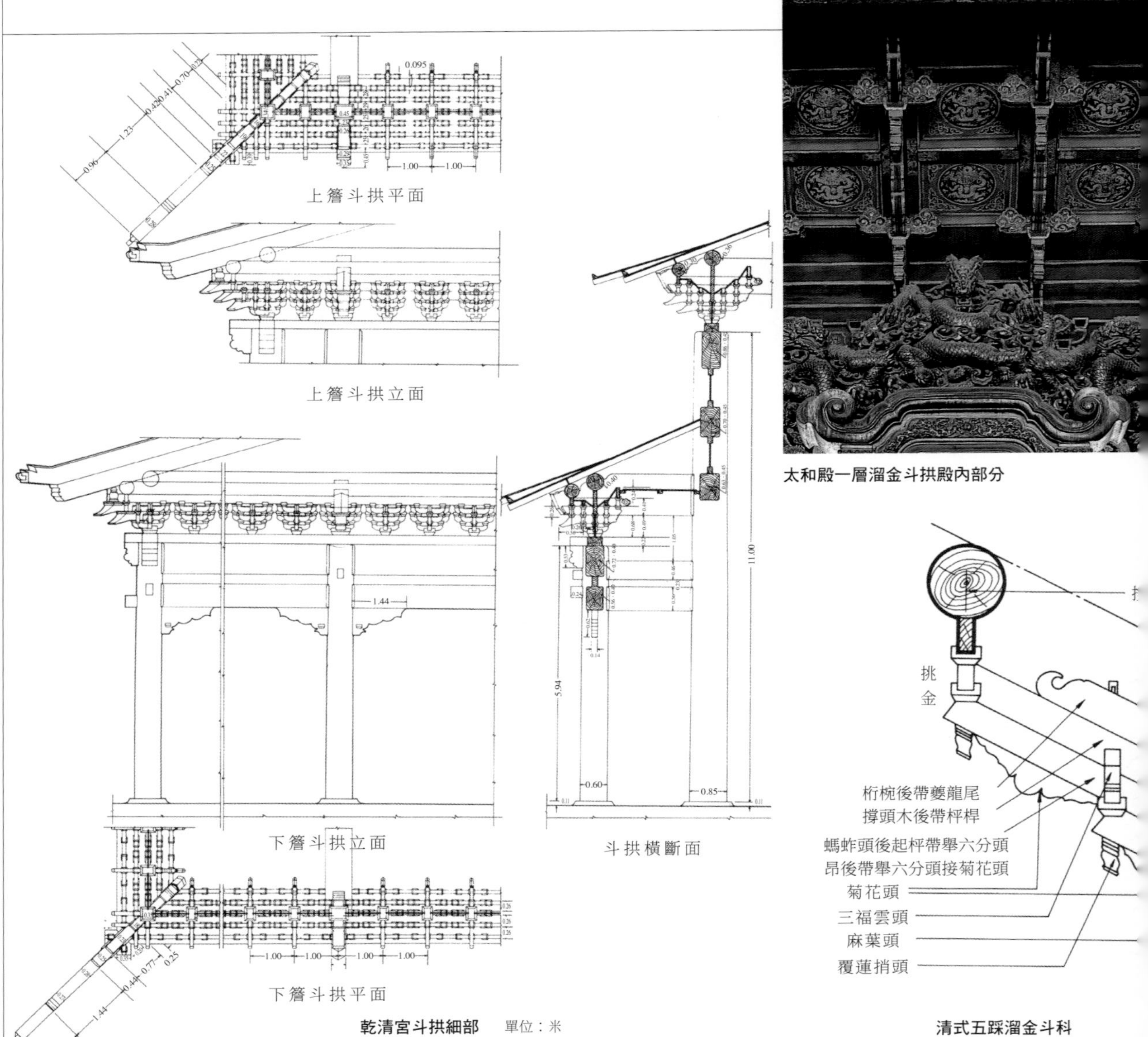

太和殿一層溜金斗拱殿內部分

乾清宮斗拱細部 單位：米

清式五踩溜金斗科

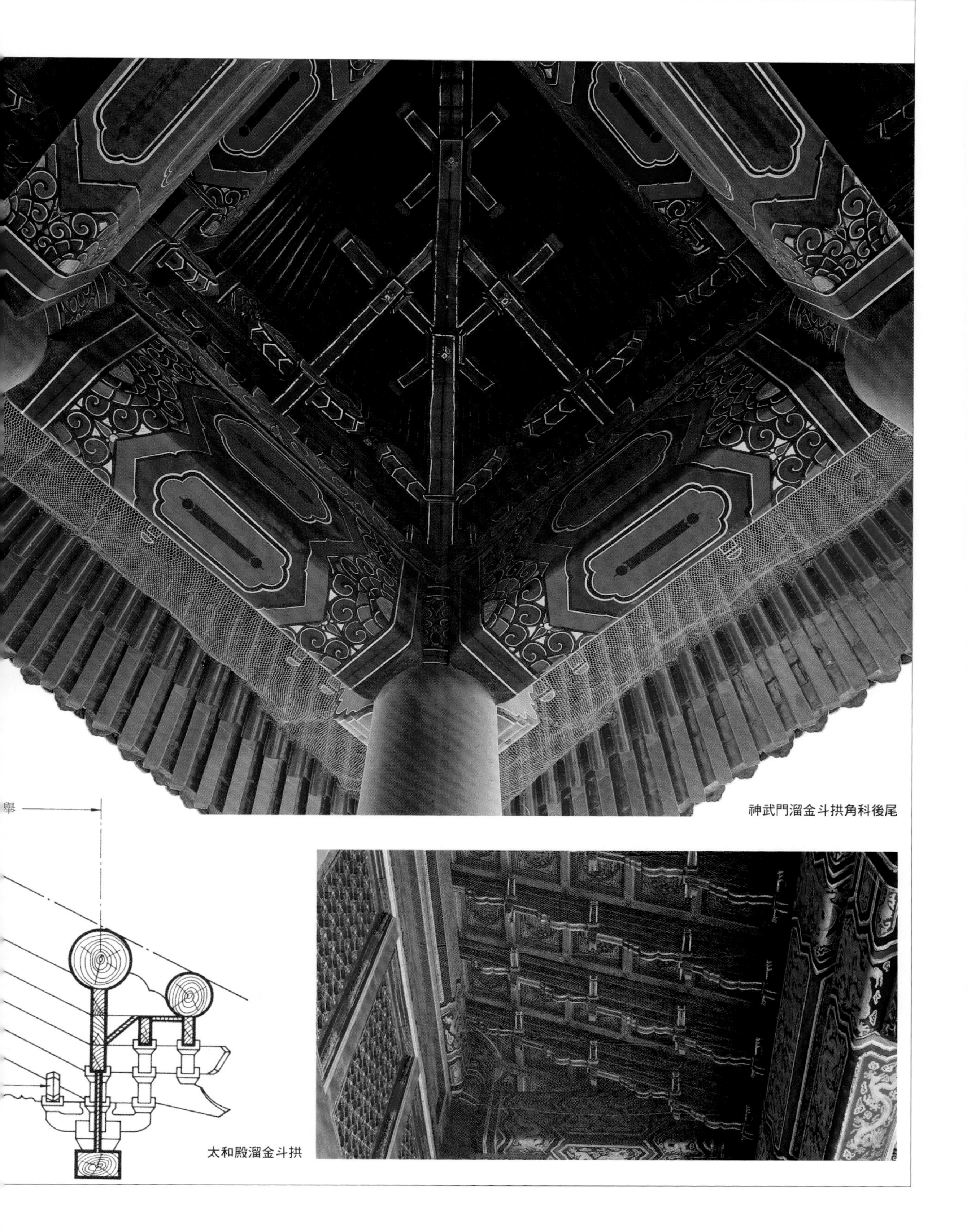

神武門溜金斗拱角科後尾

太和殿溜金斗拱

「品」字斗拱、平身科斗拱、挑金斗拱

斗拱的佈置，一般都安放在房屋周圍的簷柱、額枋、平板枋上。大型殿閣還在房屋的簷下佈置周圈斗拱。這種斗拱的形狀是裏外兩端對稱，從側面看猶如逐層疊鋪的「品」字。古建中把這種對稱懸挑、左右均齊的斗拱稱為「品」字斗拱，其作用除支承上架樑柱與天花外，還起到上下大木構件的彈性結點作用。

斗拱在樑枋之間，其功能猶如現在車輛所採用的鋼板彈簧弓。雖然用材不同，但層層疊挑的原理是一樣的。尤其把木材做成許多小木枋，更增加了彈性作用。因此太和殿的屋頂重量雖達兩千餘噸，屋脊與地面的距離為 35.05 米，脊上還豎有兩件 3.4 米高、4.3 噸重的大吻，但在大地震的強烈搖晃中並未被甩掉，反而有些

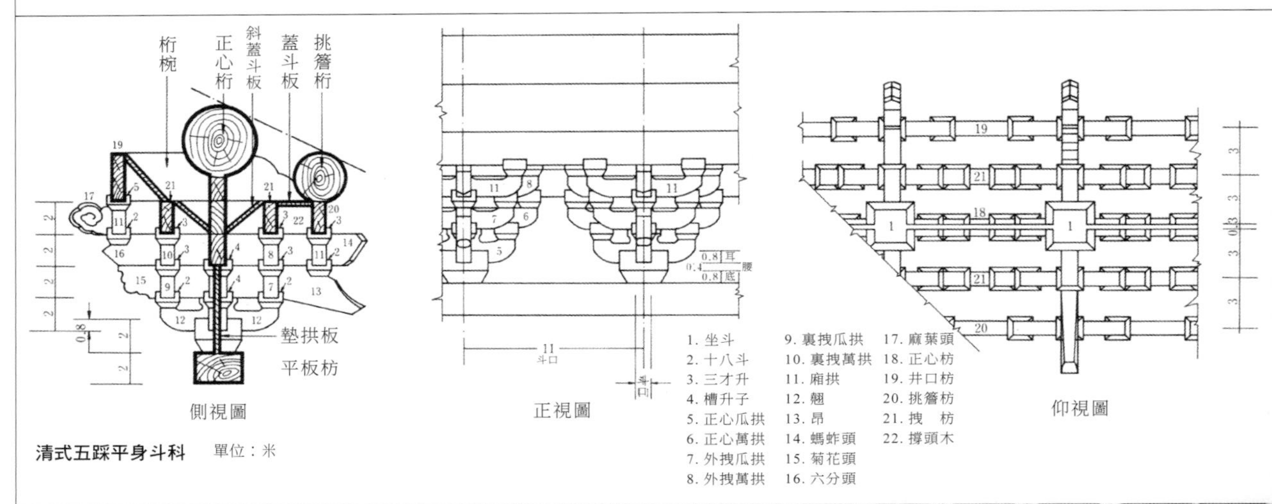

清式五踩平身斗科 單位：米

皇極殿斗拱

矮小房屋會牆倒屋塌，這個對比足以説明斗拱的抗震功能。

其次，古建築出簷深遠，簷部便要負荷很大的重量。明、清宮殿的出簷雖比唐、宋略小，但為了保持內外平衡，除用平身科斗拱分擔簷部荷重外，並把秤桿尾部拉長到下金桁枋之間的稱為溜金斗拱去分擔。還有一種斗拱後尾懸空，如文華門、太極殿的斗拱，其平衡作用是依靠簷部的荷重過大，後尾勢必上挑的反力，挑着金桁枋，非常巧妙，這種做法稱為挑金斗拱。這不僅利於承托簷部重量，而且還給內部的金檁增加了支點，使金檁成為多跨連續樑，從力學來看這是很科學的。

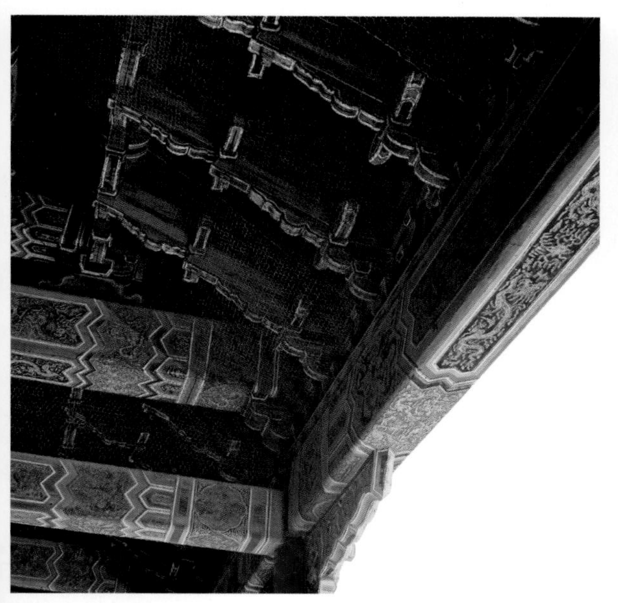
文華門挑金斗拱後尾

御花園萬春亭角科斗拱後尾

太和門內「品」字科斗拱

屋面裝飾

中國古典建築是非常講究造型藝術的，即使是屋頂的輪廓裝飾也頗考究。屋面坡度的曲線自然柔和，簷角向上翹起，確有「如翬斯飛」的形象。宮殿建築再配上多種琉璃構件，這不僅是結構上的實用，也是屋面上重要的裝飾。有了這些裝飾，屋頂顯得巍然高聳，如翼輕展，增加了外觀的優美。

寧壽宮花園如亭寶頂

紫禁城的大小宮殿、樓堂館舍、亭軒廊廡，大都是用不同顏色的琉璃瓦覆蓋。根據建築物的功能和等級來確定屋面裝飾，而屋面各類型脊的使用和瓦件的選擇是根據各種不同的屋頂樣式進行裝飾的。屋面所覆的瓦有板瓦和筒瓦之分，板瓦面微凹，扁而寬，相疊成行，並比排列；筒瓦即半圓形瓦，覆蓋板瓦兩行邊緣，相接成隴。屋頂上安裝多種形象的琉璃飾件，如在正脊和垂脊相交處置正吻，簷角還有仙人和多種樣式的小獸。歇山的兩側有山花，通常雕飾成金錢壽帶。懸山頂的兩頭加博縫板，並釘有梅花釘加以裝飾等。

角樓銅鍍金寶頂

太和殿簷角仙人和走獸

內外簷裝修

裝修，分外簷裝修和內簷裝修兩種。紫禁城各宮殿內外簷裝修之豐富，題材之多樣，工藝之精美，室內空間分隔和組合的構思和技巧之精湛，為前代所罕見。外簷裝修的門窗，開始是為了避風雨、防寒暑和採光的需要；內簷裝修的各種花罩和隔斷，開始也是為了居住的方便，但宮殿內的裝修，經過了藝術加工，也就更富有裝飾趣味。

外簷裝修是露在建築物外面的門窗部分，種類很多：門，有隔扇門、板門、風門、屏風等；窗，有檻窗、支摘窗、橫披窗、什錦窗等。

內簷裝修是建築物內部劃分空間組合的部分，類型多樣。特別是后妃寢宮的內簷裝修選料考究，花紋雕飾精美。室內常用隔扇門（也稱碧紗櫥）、板壁、博古架或書架遮隔，使室內產生既分隔又有聯繫的效果。

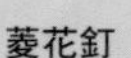

菱花釘

菱花紋圖案是三根或兩根直欞相交形成的圖形，相交處附加花瓣而成為放射狀的菱花圖案，木條交叉點上有圓形的金色菱花帽釘，稱為菱花釘。三根直欞相交稱「三交六椀菱花」，兩根直欞相交稱「雙交四椀菱花」，大多運用在隔扇和檻窗。在紫禁城，菱花紋在窗格裝飾上有嚴格的等級規定，凡用三交六椀菱花的門窗屬最高等級，往下依次為雙交四椀菱花、斜方格、正方格、長條形等。

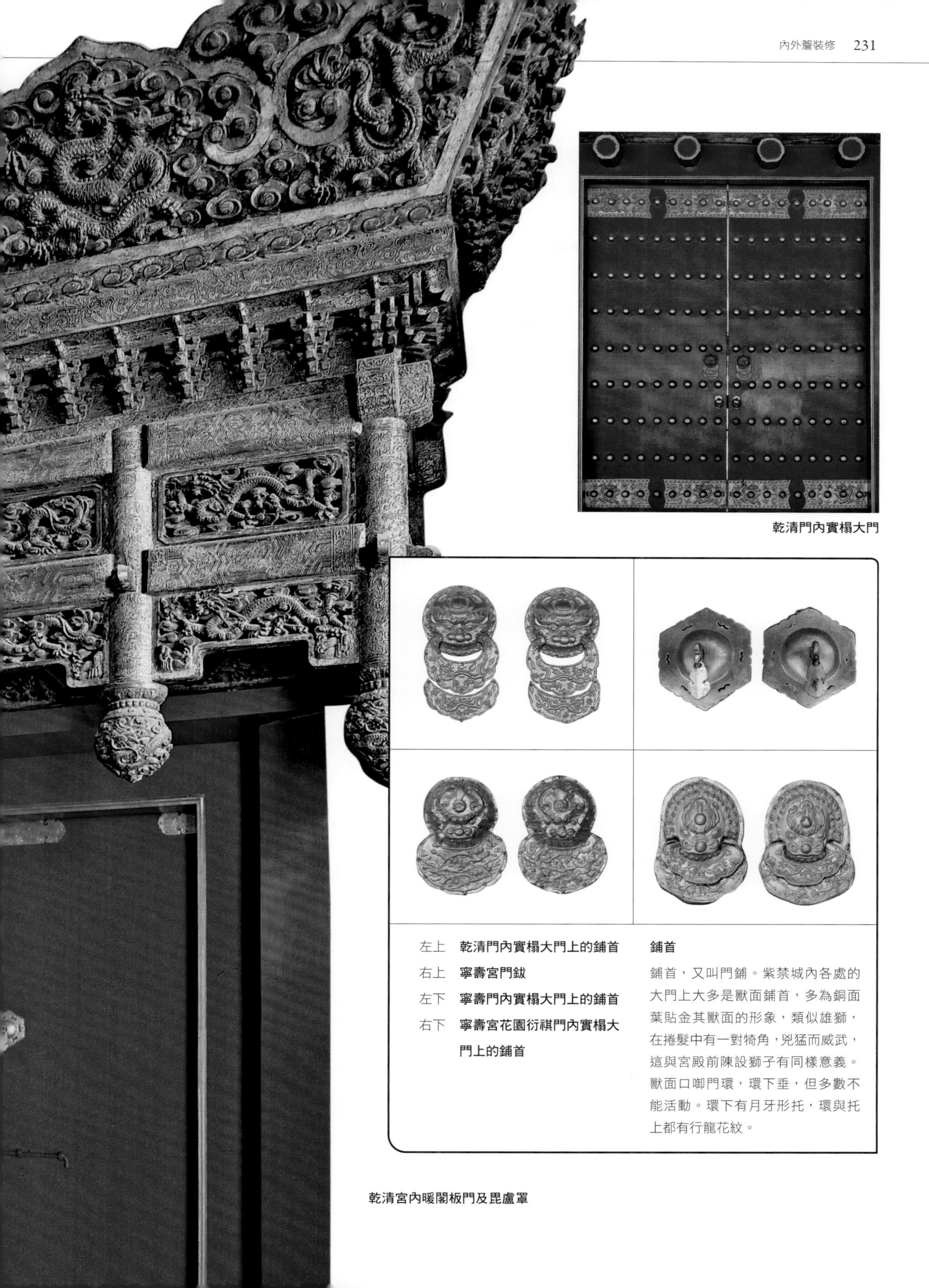

乾清門內實榻大門

左上 乾清門內實榻大門上的鋪首

右上 寧壽宮門鈸

左下 寧壽門內實榻大門上的鋪首

右下 寧壽宮花園衍祺門內實榻大門上的鋪首

鋪首

鋪首，又叫門鋪。紫禁城內各處的大門上大多是獸面鋪首，多為銅面葉貼金其獸面的形象，類似雄獅，在捲髮中有一對犄角，兇猛而威武，這與宮殿前陳設獅子有同樣意義。獸面口啣門環，環下垂，但多數不能活動。環下有月牙形托，環與托上都有行龍花紋。

乾清宮內暖閣板門及毘盧罩

外簷裝修

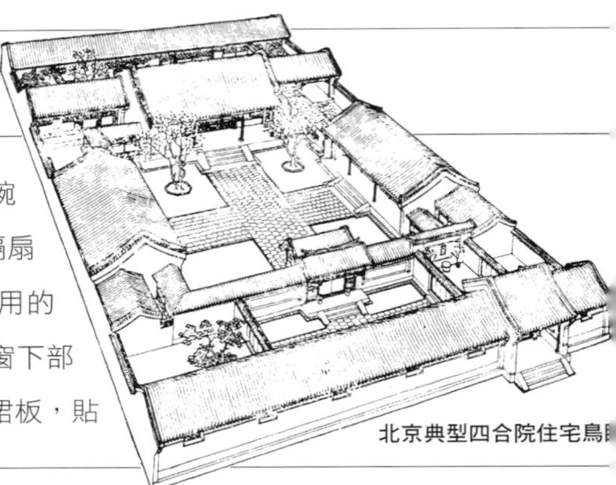
北京典型四合院住宅鳥瞰

紫禁城的宮殿通常用隔扇門和檻窗。隔扇門的上部稱隔心，下部是裙板，較大的隔扇門還加縧環板。檻窗沒有裙板，而建於檻牆之上。

外簷裝修最高等級的花紋式樣有雙交四椀菱花隔心，三交六椀菱花隔心和三交球紋椀菱花隔扇等。例如太和殿外簷的門窗用的都是三交六椀菱花隔心，門窗下部是渾金流雲團龍及翻草岔角裙板，貼

太和殿三交六椀菱花隔扇門、團龍渾金裙板

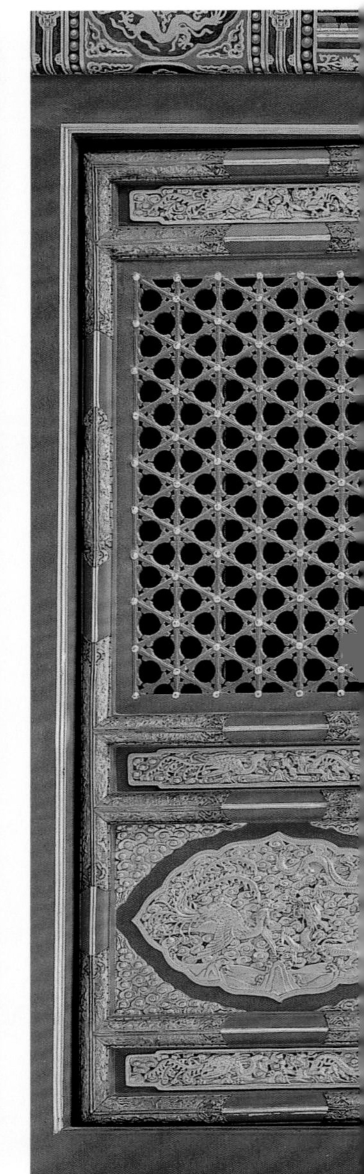

坤寧宮寶香花雙人字看葉

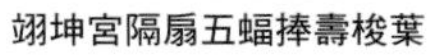

翊坤宮隔扇五蝠捧壽梭葉

神武門隔扇門梭葉

乾清宮隔扇門渾金團龍裙板

皇極殿隔扇門渾金團龍裙板

內簷裝修

內簷裝修更多的是裝置各種不同類型的罩，如几腿罩、落地罩、花罩、欄杆罩等，造成半分半斷、似分似合的意趣。所用大都是紫檀、花梨、紅木等上等材料，雕刻講究，有的還透雕出幾層立體花樣，非常精緻。例如西六宮室內隔扇門的隔心以燈籠框最多，框心安裝玻璃或糊紗，上面或繪花卉，或題字，非常雅素。加之懸掛上宮燈、楹聯、條幅、貼落，使室內充滿了詩情畫意。隨着手工業的進一步發展，室內裝修也更加豐富多彩，出現了用綴合各種手工藝品而組成的花飾。如乾隆花園一些宮室內的隔扇心所用工藝品，有雙面刺繡、嵌玉、嵌螺、嵌景泰藍，還有拼竹紋、嵌瓷片等，種類多達幾十種，且極精緻。

樂壽堂內簷方框嵌琺瑯隔扇門

翊坤宮內花罩及局部

漱芳齋後殿東室（高雲情）內的燈籠框檻窗和隔扇門

漱芳齋內纏枝蓮花罩及局部

藻井、天花

藻井與天花都屬於室內裝修的一種，天花亦稱頂棚，是建築物內用以遮蔽樑以上部分的構件。呈穹窿狀的天花則稱作「藻井」，象徵天宇的崇高。紫禁城內的藻井，一般都用在太和殿、養心殿、齋宮、皇極殿、欽安殿等莊嚴尊貴的殿宇內。而后妃居住的東、西六宮，由於等級所限，都不裝飾藻井。

紫禁城殿宇內的天花，大多是明、清時期的遺物。其結構做法，大體分兩類：一種是井口天花，一種是軟天花。

藻井的結構非常複雜，它比天花更富有裝飾趣味。從紫禁城各宮殿內保留下來的藻井可以看出，藻井的造型大體是上圓下方，由上、中、下三部分組成。

此外，御花園內的千秋亭和浮碧亭，由於等級的不同和所處的環境有異，也各有別具風格的藻井，都是形象美觀、造型精緻的藝術傑作。

明清時代的藻井，題材多，構圖謹嚴，設色以青綠冷色為主，大面積用金，絢麗多彩，為宮殿建築的裝飾藝術增添了新的光輝。

太和殿天花實測圖 單位：釐米

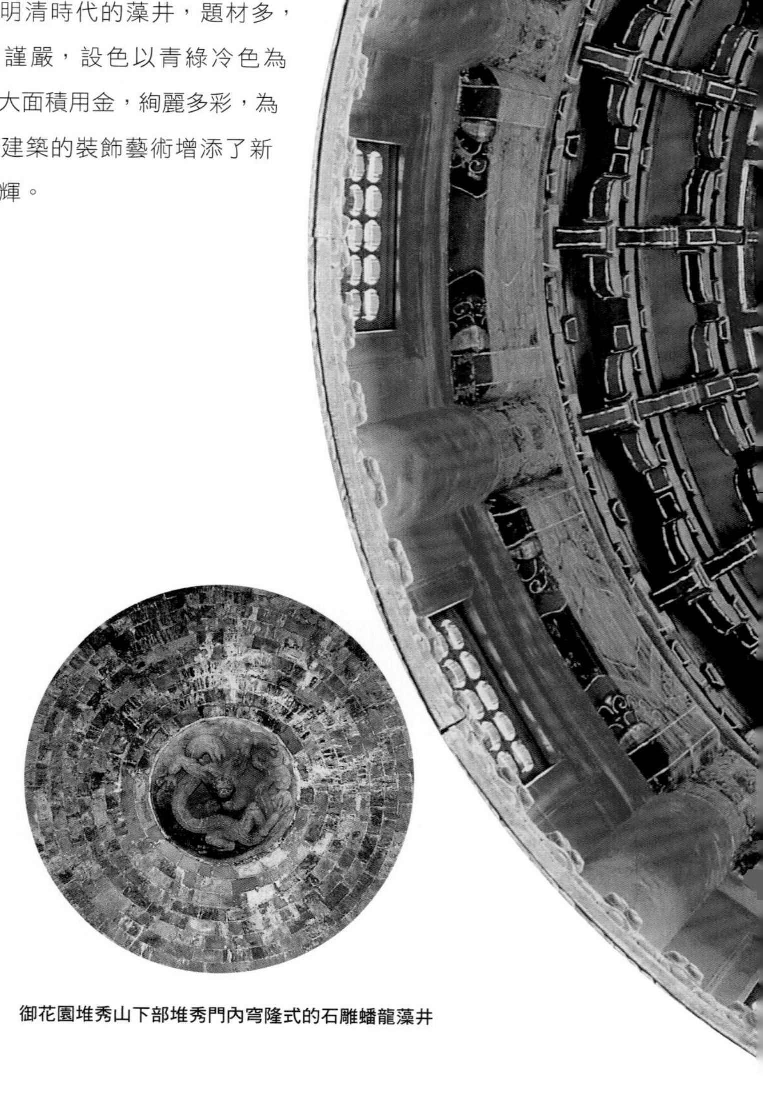
御花園堆秀山下部堆秀門內穹隆式的石雕蟠龍藻井

御花園內萬春亭藻井

藻井

藻井是安置在莊嚴雄偉的寶座上方，或者在神聖肅穆的佛堂頂部的天花中央的一種「穹然高起，如傘如蓋」的特殊裝飾。

藻井在漢代已有。關於藻井，在《風俗通》載說：「今殿作天井。井者，東井之像也；藻，水中之物，皆取以壓火災也。」可見，藻井除作為裝飾外，還有避火之意。

以太和殿藻井為例，下部是方井，高0.5米，直徑5.94米，上置斗拱承重；藻井中部的八角井，是承上啟下的過渡部分，高0.57米，直徑3.2米，用多道抹角枋，構成三角（又稱角蟬）和菱形，雕刻有龍鳳紋。抹角枋上置雕刻有雲龍紋圖案的隨瓣枋。上部圓井高0.722米，直徑3.2米，周圍施以二十八攢組成的一圈小斗拱，承受着圓形蓋板（又稱明鏡）。在頂心鏡之下雕有蟠龍，口中啣珠，與地面上的雕龍金漆寶座、各種精緻的陳設和以龍紋為主的樑枋互相襯托，令整個大殿顯得金碧輝煌、莊嚴肅穆。

養心殿藻井

養心殿的藻井大部分施以綠色，沒有完全使用金色，獨具別樣藝術感。

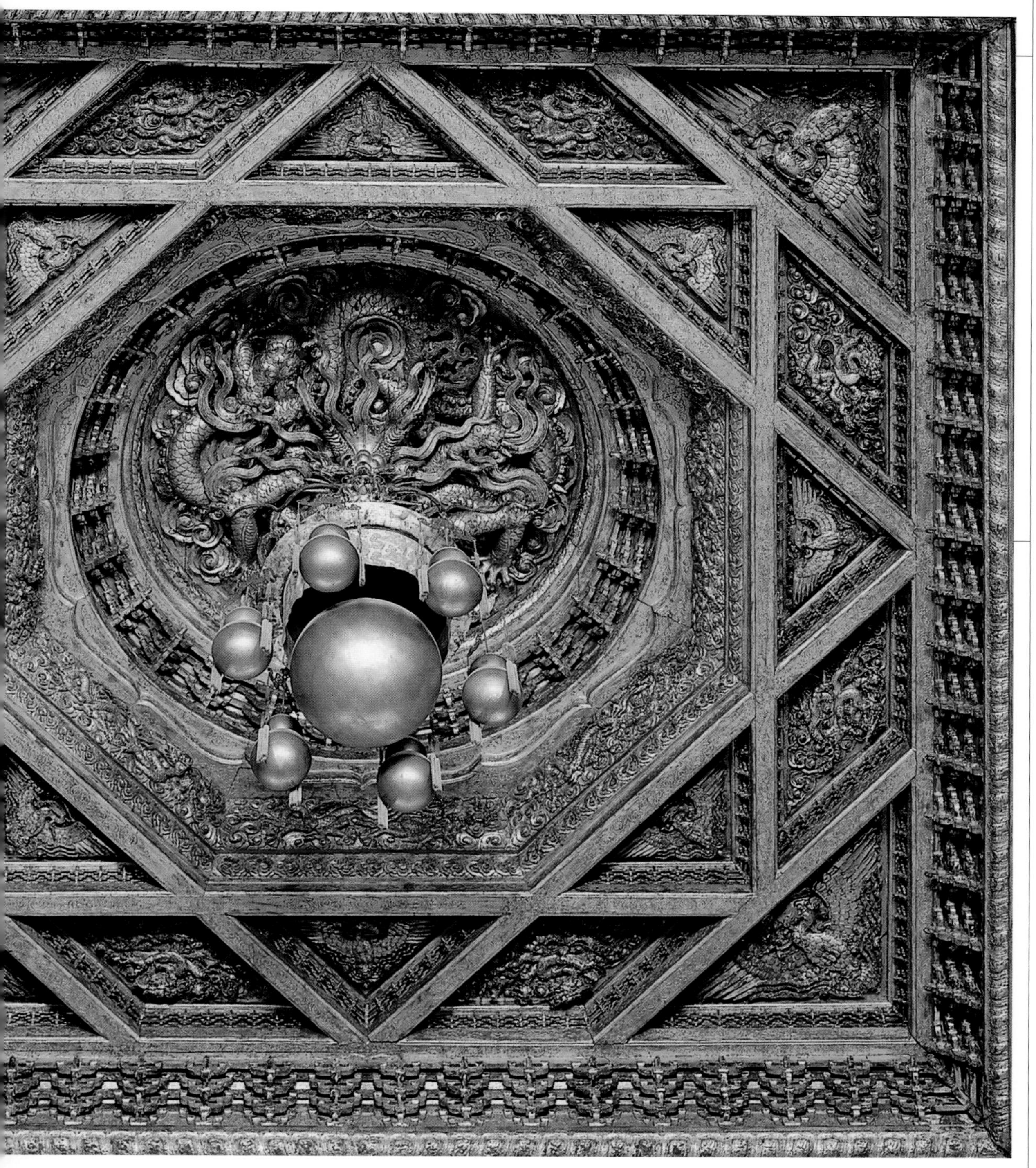

太和殿藻井

藻井位於太和殿正中寶座前上方天花中央，上圓下方，是一種典型的藻井做法。全井分上、中、下三層，最下層稱方井，井口直徑將近6米；中層為八角井；上層叫圓井。三層通高將近1.8米。方井及上部圓井各施斗拱一層，中部八角井滿佈雲龍雕飾。穹隆圓頂內盤臥巨龍，俯首下視，口啣寶珠，莊嚴生動。整個藻井的製造極精細，貼兩色金，與寶座上下呼應，襯托聳立的渾金蟠龍柱，表現了大殿雍容華貴、至高無上的氣派。

交泰殿藻井

交泰殿藻井與太和殿藻井結構相仿，亦為盤龍啣珠藻井。

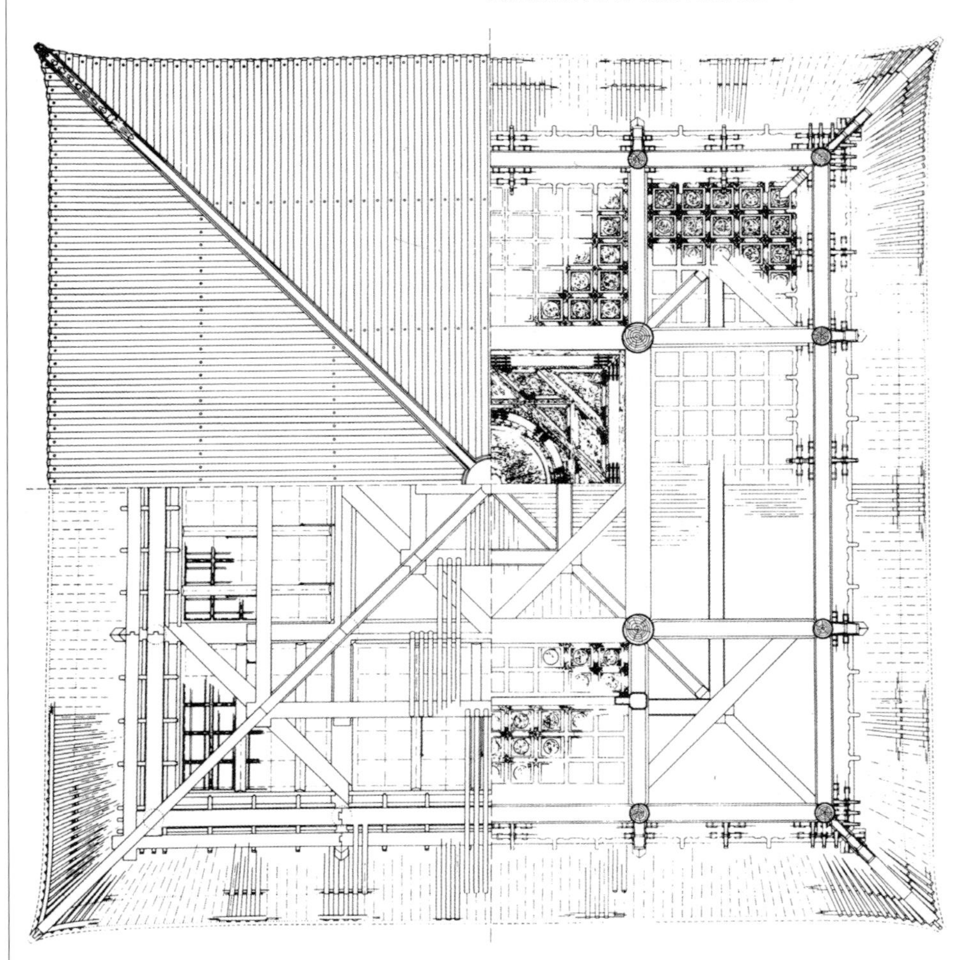

交泰殿屋頂結構示意圖

交泰殿

御花園內澄瑞亭藻井

慈寧宮花園臨溪亭內海墁式藻井

海墁天花是在較小的房間內架一個完整的框架，上面安木板或糊紙，然後在天花的表面直接進行簡單的彩繪，大多是整間屋子的頂部繪畫連成一個整體，所以稱海墁天花。

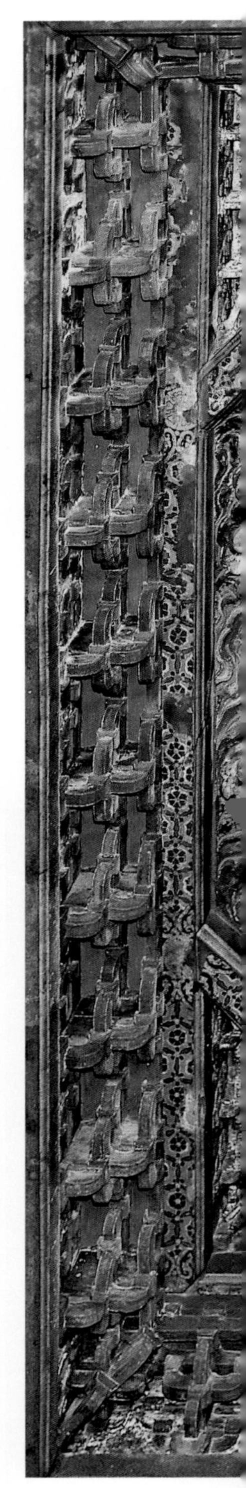

齋宮藻井

壽安宮內簷明間脊部檩、墊板、方子、包栿枋心龍和璽彩畫小樣

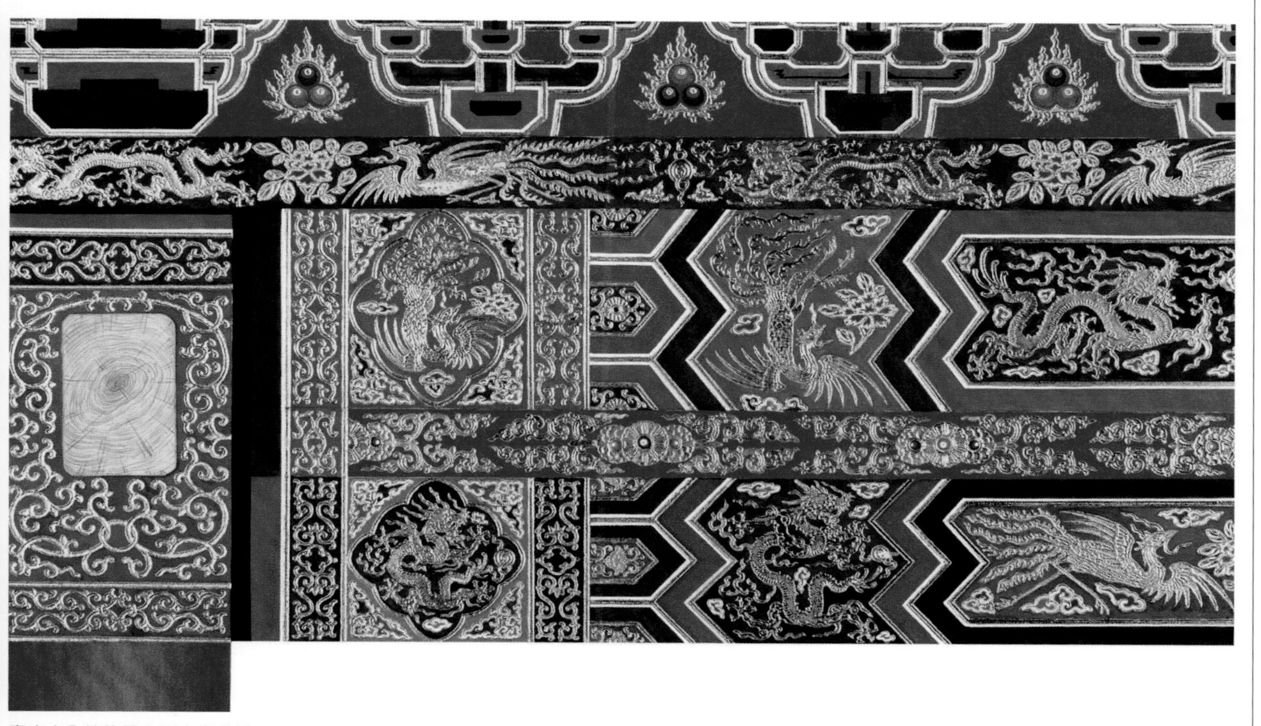

壽康宮內簷龍鳳和璽彩畫小樣

旋子彩畫

旋子彩畫是明代宮殿建築中最盛行的一種彩畫。畫面佈局靈活，富於變化。花心面積大，旋瓣採用青綠相間與退暈相結合的辦法，色彩在對比中求得變化。花紋結構有簡有繁，彼此參差變化，使花紋形象突出，造型簡單明確。旋花的主要部位用金，則起點睛與分明主次的作用。這些特點結合在一起，最後達到渾然一體的藝術效果。清代的旋子彩畫繼承了明代的傳統風格並有所變化，比如為了設計及操作技術上的方便，使之更加規格化和標準化。紫禁城宮殿現存的彩畫大部分是清代所繪，但鍾粹宮和長春宮內簷樑架上及武英殿前南薰殿的內簷上，至今還保留有明代的旋子彩畫。

有的旋子彩畫以蓮座上加石榴或雲頭為花心，周圍置番蓮葉，外層繞

協和門外簷龍錦方心金線大點金旋子彩畫

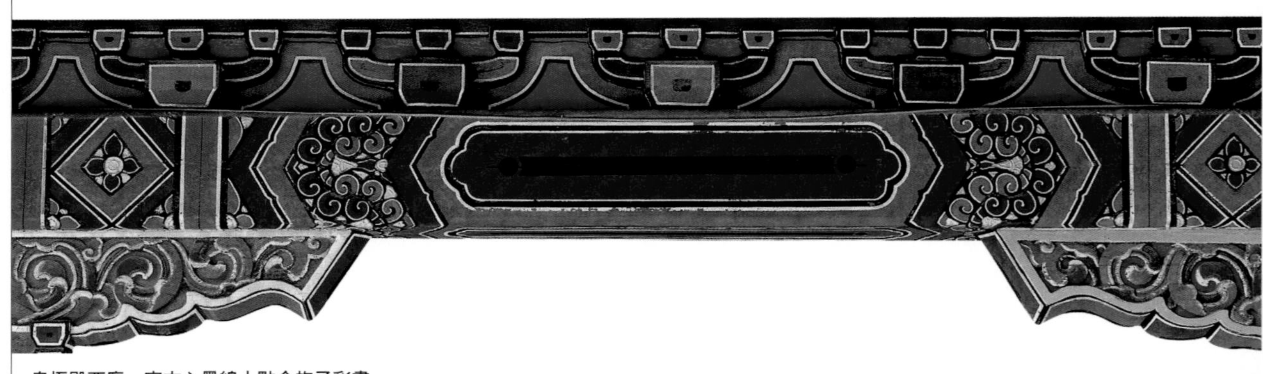

皇極殿西廡一字方心墨線大點金旋子彩畫

慈寧門內簷樑枋龍鳳方心金琢墨石碾玉旋子彩畫

寧壽宮花園佛日樓外簷檁墊枋龍錦花紋彩畫小樣

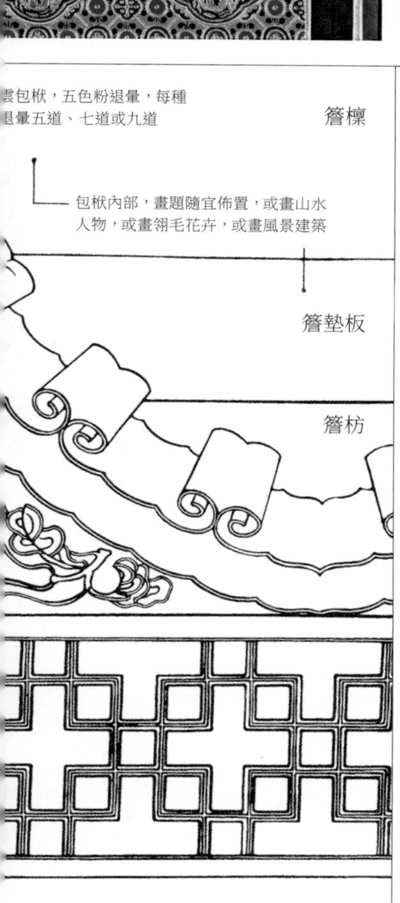

蘇式彩畫示範圖

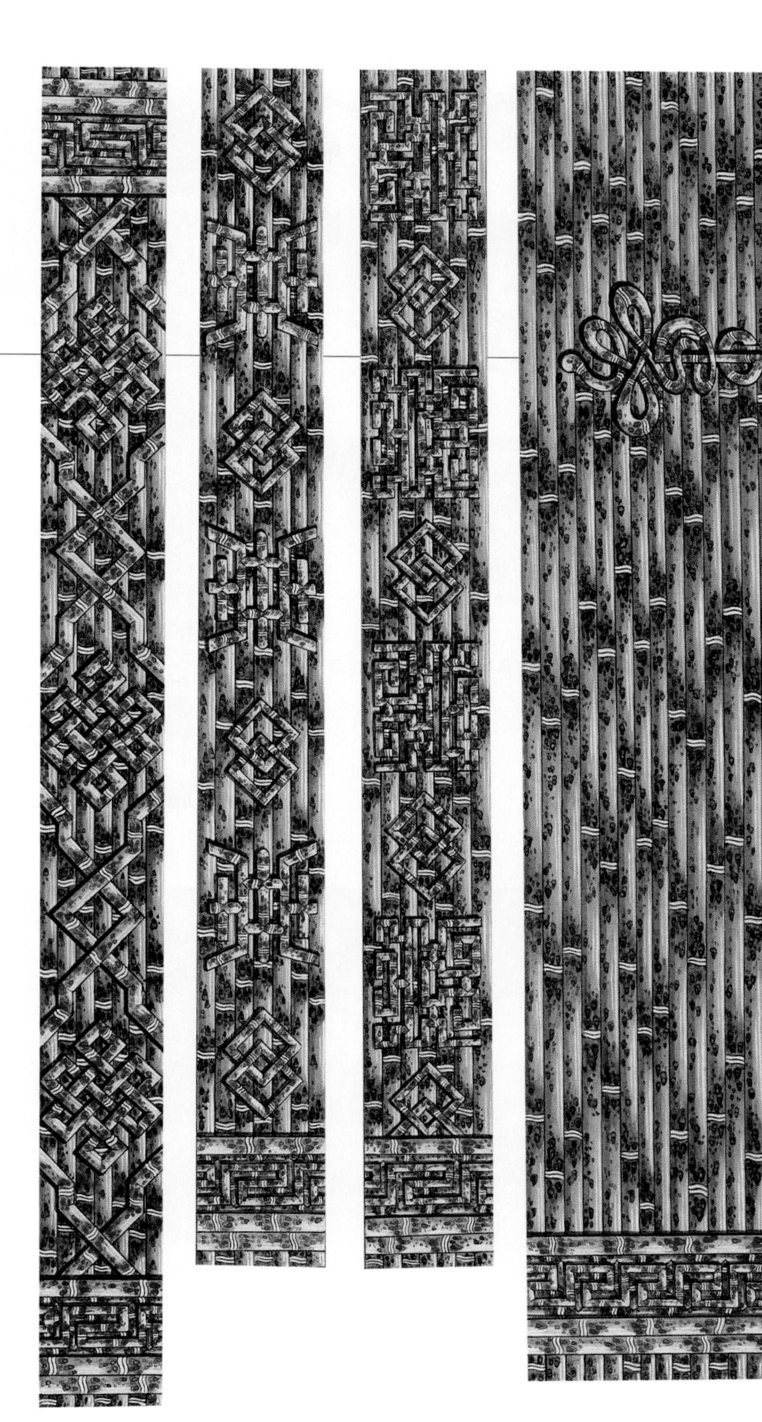

御花園絳雪軒前抱廈斑竹紋海墁蘇式彩畫小樣

體和殿外簷明、次、梢間額枋包袱方心蘇式彩畫小樣

體和殿外簷明間檁、墊枋斗拱包袱心蘇式彩畫小樣

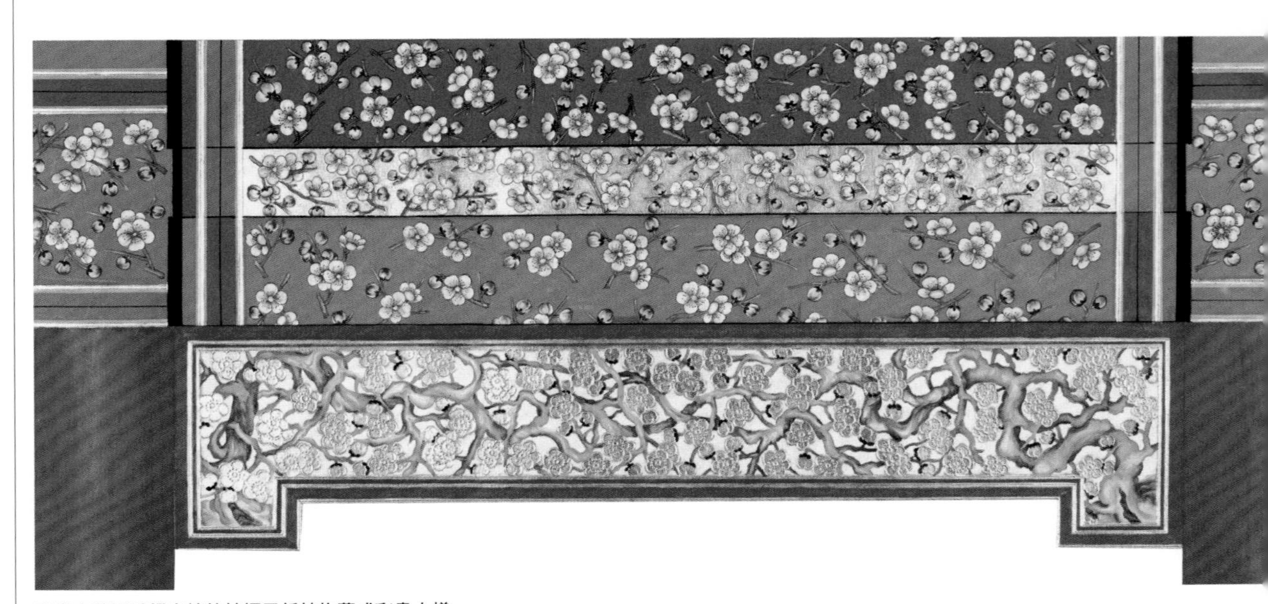

寧壽宮花園碧螺亭檁墊枋楣子折枝梅蘇式彩畫小樣

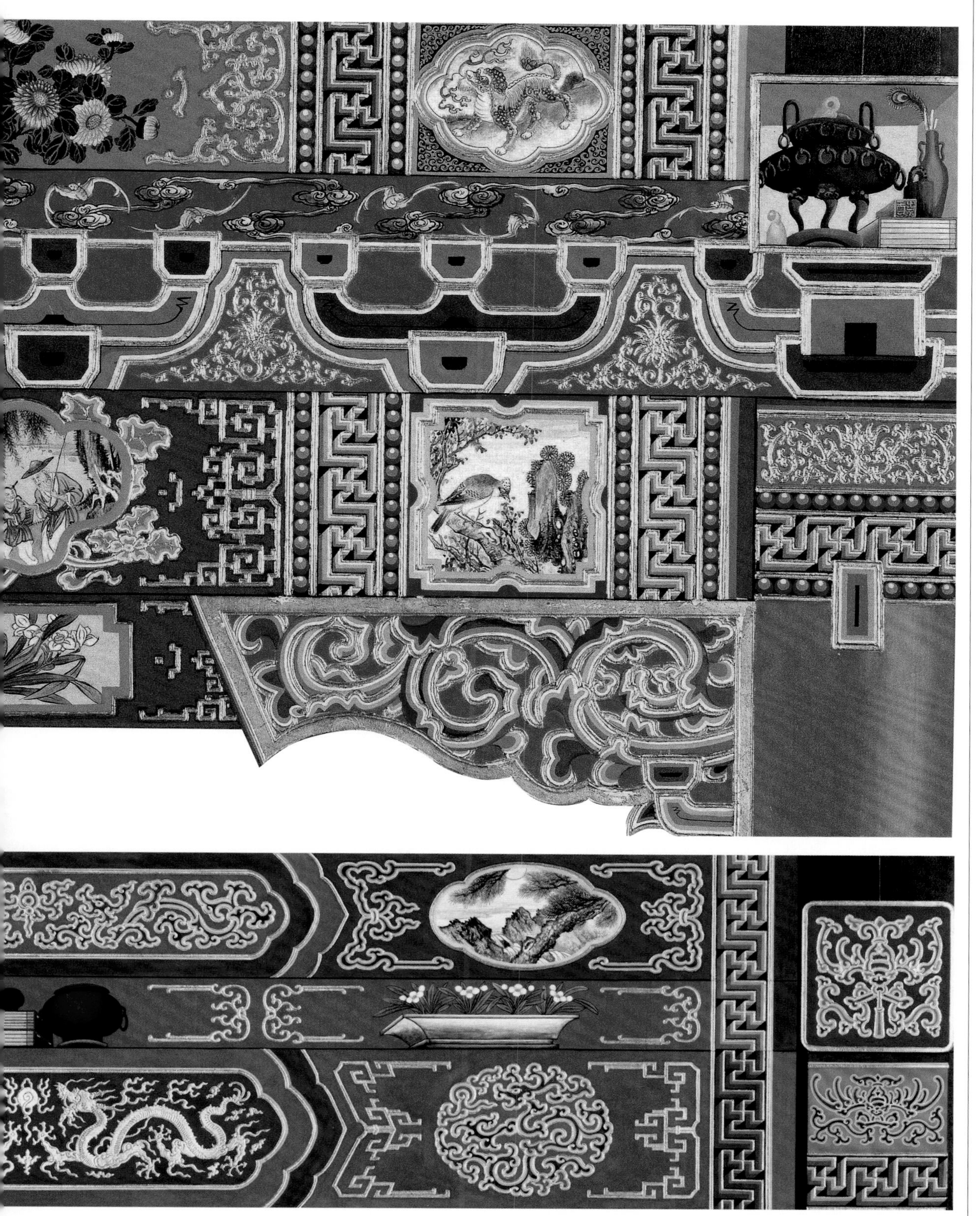

寧壽宮花園旭輝亭外簷蘇式彩畫小樣

琉璃裝飾

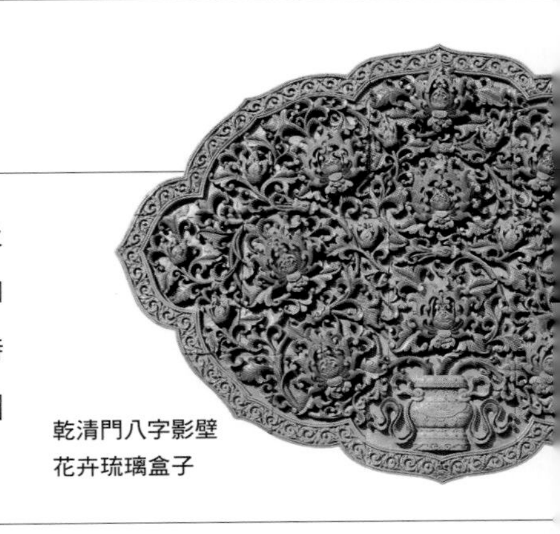
乾清門八字影壁
花卉琉璃盒子

紫禁城內的大小宮殿、內廷各宮殿區的牆門、院落的院門、照壁、牆面以及花園裏的花壇等，都廣泛使用琉璃裝飾。琉璃裝飾的圖案要根據建築物的等級和功能來確定。皇帝使用的宮殿的琉璃裝飾完全用龍的圖案，如乾隆皇帝做皇子時的居所——重華宮就是這樣。東、西六宮是后妃居住地，通常用禽鳥、花卉等圖案做琉璃裝飾。而在一些次要的院落裏，則只用素琉璃裝點而沒有花飾。

琉璃釉色瑩潤光亮，色彩豐富。它比木材堅固耐用，比石材色彩鮮豔。用它裝飾建築物，可以使建築的造型更加美麗，也可以烘托建築空間佈局的氣氛，是體現建築藝術效果不可少的手段。例如：乾清門廣場以寬闊的橫街作為外朝與內廷的界線，乾清門作為內廷的正門，比起高聳的三台，自然顯得低一些，但是，在門兩側裝飾的八字照壁，卻吸引人的視線，增加了宮門的氣魄，收到了富麗豪華的藝術效果。

中國琉璃製作有着悠久的歷史和輝煌的成就。到了明、清兩代，尤其是清代中期，琉璃生產更為發達。製成的琉璃，釉色滋潤細膩，胎土質密均勻，胎釉接合更加緊密。由於在生產中很好地掌握了顏色釉原料的性能和燒製技術，燒出了明黃、孔雀藍、翠綠、絳紫、乳白等多種顏色的琉璃，這就為宮殿建築採用琉璃裝飾提供了良好的物質條件。

重華門琉璃花飾

琉璃照壁

內廷的牆門和院門的琉璃裝飾，通常是用琉璃瓦頂，簷下斗拱不用木製構件，而是用琉璃仿製，額枋檁桁則用琉璃貼面雕刻成空枋心的旋子彩畫。

門腿兩旁在須彌座上砌起略矮於正門的琉璃照壁，壁面四角有岔角，當中有圓形盒子裝飾着各種圖案。

如養心殿是皇帝的寢宮和處理日常政務的地方，因此，它的宮門和照壁也非常華麗，不僅宮門簷下斗拱、檁枋用琉璃製造，兩旁照壁的岔角是

皇極門三間七樓琉璃門

四種極富質感的花卉，當中是鷺鷥臥蓮刻有海棠線的圓盒子。整個照壁畫面以黃色線磚為框，以綠色琉璃面磚為底，白色的鷺鷥、綠色的荷葉、黃色的荷花，碧水彩雲縈繞其間，花紋線條流暢，構圖新穎，題材別緻，極富裝飾趣味。

又如寧壽宮一區的皇極門，由於牆垣高大，不用隨牆門的式樣，而是採用類似木結構牌樓門的做法，用琉璃砌成三間七樓加垂蓮柱的三座門，把大門裝飾得更加壯觀。

養心門琉璃照壁

遵義門內琉璃影壁

內金水河從紫禁城西北角地溝流入紫禁城。水道沿紫禁城內西側南流，流過武英殿、太和門前，經文淵閣前到東三座門，復經鑾儀衛西，從紫禁城的東南角流出紫禁城，全長2000多米。

金水河的總流向，自西北向東南，是按堪輿風水之説及禮制而定的。但是長長的流水往復迴環，原設計意圖並非全從美觀着眼，也是從便於給水和排水兩個角度去考慮的。劉若愚在《酌中志》中曾寫道：「是河也，非為魚泳在藻，以資遊賞，亦非故為曲折，以耗物料，恐意外回祿之變，此水實可賴。天啟四年六科廊災，六年武英殿西油漆作災，皆得此水之力……又如天啟年一號殿巄鸞宮被焚者二次，如只靠井中汲水，能救幾何耶？……」可見着意用金水河為救火的水源。皇極、太和等大殿施工時，和泥灰也用的是內金水河河水。

內金水河上最雄偉的橋是太和門前的金水橋，其餘十幾座橋樣式各異，有單拱橋和三座並列的橋，還有半邊是涵洞半邊是橋的，不一而足。

內金水河

內金水河是紫禁城建築設計的傑作。河身依不同地勢，或寬、或收、或隱、或現，並給以不同的裝飾。凡流經地面的地方，均以豆渣石及青石砌成規整的河幫石底，隨轉折及所處地境的不同，寬窄不一，河幫處理也不一樣。金水河以太和門一帶最寬，為10.4米，河東西兩端接涵洞處則為8.2米，最窄的地方只有4—5米。因太和門一帶地處外朝衝要，兩岸圍以漢白玉石欄杆。其餘部分的金水河河幫，就改用磚砌矮牆。除個別地段成直線外，絕大部分的河身彎轉自如。到太和門，河身曼回，蜿蜒東流，將宮門置於河的環抱之中，襯托出一派莊嚴雄偉的氣勢。

太和門前院內金水河，是全河藝術設計重點所在。河上雄跨五橋，中間一座最大，長23.15米，寬6米；兩側稍小，各長21米，寬5.4米；外邊的兩座各長19.5米，寬4.8米。居中的橋靠前，兩側橋身依次後退，橋面兩端為斜坡。隨着彎曲如弓的河流，這一組橋面的前邊和後邊也自成弧形。橋為石拱單孔結構，石橋面，漢白玉雕石欄杆。正中主橋是皇帝通過的御路，白石欄杆用雕有龍雲紋的望柱，與太和門、太和殿的須彌座欄杆等級

相埒。左右四座賓橋，為王公百官行走之路。欄杆只用火炬形陰刻弧形線的望柱頭，名「二十四氣」。如此，由橋的寬、長和欄杆花紋雕刻的題材、工藝的精粗分了等級。

太和門前內金水橋全景

紫禁城周圍的護城河，開鑿於明代。河寬 52 米，兩側以大塊豆渣石和青石砌成整齊筆直的河幫，岸上兩側立有矮牆。城壕本來是為防護而設的，但是設在皇宮外圍就不同一般，除防護外，還須顯出皇家的氣派，能達到配合環境的藝術效果。澄明如鏡的水面，四隅上的角樓，沿河栽植的樹木，無不給人以寧靜、開闊之感，為宮廷增添了不少風采。清代還曾在河中栽種蓮藕，既有觀賞之美，又可收經濟之益。

紫禁城內地下排水溝道縱橫交錯，最後合成幾條幹溝，一一注入金水河，使內金水河成為最大的幹溝，泄水通暢，所以無論遭到何等大雨，紫禁城內絕無漫溢之患。

有河就要架橋。遇到地面上有建築物，就以涵洞引入地下，所以說內金水河「或隱或現，總一脈也」。全流共有大小橋二十餘座，涵洞十多處。

最古老最精美的橋，數橫跨在武英殿東側金水河上的斷虹橋。全長 18.7 米，通寬 9.2 米。石拱單孔結構，青石橋面，漢白玉雕石欄杆，欄板上刻有精緻美麗的花紋，二十個望柱頭上各有一頭小獅子，或蹲或坐，

斷虹橋東側河道

情態各異，饒有趣味。此橋是明初所建，現在除局部構件有所添配更換外，從未大修過，依然堅固牢實。

此外，在神武門、東華門、西華門外各有一座平橋跨過護城河，相接城門口與大路。

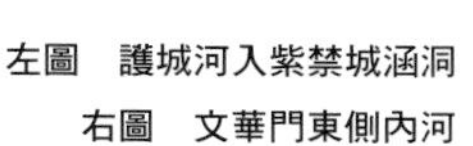

左圖　護城河入紫禁城涵洞
右圖　文華門東側內河

斷虹橋橋面

給水排水

明清宮廷內生活用水主要取之於水井。紫禁城內有很好的排水方法及排水溝道系統，保證雨天水流無阻，不會潴積。

錢眼（下水口）、溝眼口示意圖

相傳明宮初建時，鑿有水井七十二眼，以像「地煞」。劉若愚記宮內宮殿規制，其中多處提到有井，而且還説慈寧宮、慈慶宮、乾清宮兩旁之宮各有井等等。這説明建皇宮時對於水井的安置在設計上是有全盤考慮的。至於是否為七十二口，那就難以考證了。現在內廷各宮院和外朝有的院內以及廚房、庫房等處幾乎都有水井，有的一口，有的兩口，數量很多，確也有七十二口上下。這在當時，每院一井，用水可謂十分方便了。

排水方法主要是利用坡度，使水流直接或通過溝槽匯流在一起，自「錢眼」漏入下水溝道內。院子中高邊低，北高南低。繞四周房基都有石水槽，這是明溝。遇到台階，則在階下開一石券洞，使明溝的水通過。在太和殿，因為有螭首噴水，明溝改在房基以外，噴水落下的地方，四角有「錢眼」漏水。全部明溝及錢眼漏下的水流向東南崇樓，穿過台階下的券洞，流入協和門外的金水河內。後三宮及其他各個宮院，排水情況也大都如此。

「錢眼」是水由地面轉入地下的入口，「溝眼」是地面水穿過障礙的出口，兩者都是排水措施不可缺少的部分。在宮內，這些設施都經藝術加工，精心設計，樣式繁多，構成美麗的磚、石雕裝飾。

螭首構件

三大殿的三台，台中心高 8.13 米，台邊高 7.12 米，排水效果極為明顯，周圍石欄杆的每邊都有小洞，每根望柱下面都有雕琢精美的石「螭首」。內口有鑿通的圓孔，都是輔助排水的孔道，大雨滂沱時，1100 多個排水孔能將台面雨水瞬間排盡，形成上下千龍注水的奇觀。

太和殿前三台排水龍頭

給水

井的設置十分考究。井上安石蓋板、井口石、木蓋板，還加上鎖。從有的井口石上的一條條溝印來看，當時是用繩吊桶汲水的。在清代儲秀宮、長春宮等處茶房用品登記冊上，就有水桶、柳罐等物。有的在樑下架一根木枋，上安滑車。今御花園西井亭內還留有這樣的設備。

井上大都建有井亭，現在還保存有近 30 個。宮內井亭之多，也是這組古建築羣的獨特之處。井亭的做法，在宋《營造法式》上已有規定。其目的是便於打水，並有利於保持水井潔淨。紫禁城內井亭均為「大式做法」，安斗拱，施彩畫，平面多為四方形，大木構架為扒樑式或抹角樑式。亭基四周砌石泄水槽，亭頂多為盝頂，也有懸山捲棚頂，頂正中開一方口，以納光及便於淘井。在細部構造及樣式方面，按所在位置不同而有變化。宮殿院內井亭，造型華麗，裝飾精巧，甚至在井口石、井台上都雕刻有精緻的花紋。這些井亭，成雙地建於庭院之中，極富裝飾性。

御花園井亭

銅質鏤空梅花大薰爐

火爐

設在宮內的火爐（當時是火盆）花樣繁多，分為盆和籠兩部分。大的重達數百斤，通高 1 米多，或三足，或四足，有的下面還安一個座；小的隨手可以提動，像西瓜那樣大小，用來暖手的叫手爐，暖腳的叫腳爐。每個火盆都是一件精美的工藝品。

宮內這樣多的烤暖設備，每日需要大量的炭、木柴、煤等燃料。明代宛平知縣沈榜在《宛署雜記》中記載，萬曆十八年（1590）殿試，一次就用木炭 1000 多斤。清代按份例供應柴炭。乾隆年間份例的標準是：皇太后、皇后，110 斤；皇貴妃，90 斤；貴妃，75 斤；公主，30 斤；皇子，20 斤；皇孫，10 斤。到了晚清溥儀時，單一個儲秀宮冬天每日用殿煤 3000 斤，殿炭 300 斤，紅蘿炭 20 斤，寸子炭 30 捆。永和宮為養魚採暖每日用炭 50 斤，紅蘿炭 50 斤。花園裏為薰蟈蟈，每日用煤 20 斤，炭兩簍，紅蘿炭 40 簍。大量的柴炭，都是為皇家所用，至於住房差役等人員，則份例極少，如文淵閣更棚，每座每日用炭只有 5 斤。所以雖然皇帝説貧富者殊，畏寒無二，但在禦寒之物的供應上，卻有天壤之別。

銅胎掐絲琺瑯薰爐

白銅「壽」字手爐

銅鍍金薰爐

宮中所用的紅蘿炭是上好的木炭。以易州等地山中硬木燒成，明代宮中就用這樣的炭。清代每年宮內派員帶領官役赴易縣、淶水等地採買，令各窯戶只准賣給官廠，不准私相買賣。按尺寸鋸截，盛在小圓荊筐裏，外面刷紅土，故名「紅蘿炭」，運送到今西安門外的紅蘿廠。這種炭，氣暖而耐燒，灰白而不爆，圍着火盆烤火，不致被煙嗆。

明、清兩代均有管理皇宮內薪炭的機構，叫惜薪司。清代在宮內還有管安裝火爐、運送柴炭的熱火處；管柴炭分發及存儲的柴炭處；管點火燒炕的燒炕處。説明管理宮內這一套供熱系統，是相當繁雜的工作。

每日用這樣多的柴炭，必須有堆放場地。除上述紅蘿廠外，在紫禁城外還有惜薪司管轄的北廠、南廠、西廠、東廠、新西廠、新南廠等處貯收柴炭，在紫禁城內於西五所後，東西二小門外，有惜薪司貯柴炭之園，備宮中燃用。

銅薰爐

掐絲琺瑯夔鳳紋薰爐

白泥薰爐膽

照明

紫禁城內，夜間主要是用以蠟燭為光源的燈具照明。

宮內為了防火，對於燈火的管理很嚴。清代外朝除朝房及各門外，均無燈。到了清末，宮內早於各地首先安了電燈，自設有發電機。

坤寧宮大婚用的羊角罩「喜」字燈

內廷與東西長街均有路燈。據《明宮史》記載，宮中各長街設有路燈，以石為座，銅為樓，銅絲為門壁。每晚內府庫監添油點燈，以便巡看關防。王公大臣天明前趨朝，唯親王才准有燈引路至景運門或隆宗門，軍機大臣可提羊角燈入內右門，其餘的人均不得用燈引路。但皇帝出入，前有引燈數對，每盞用五兩重蠟一枝；另有門燈站燈若干對，每盞用八兩重羊油蠟一枝。嘉慶時還規定，皇上出入，駕後添設明角燈四盞，以資照明。

殿內早朝，冬日天尚未明，在寶座側列羊角燈數對。康熙二十四年（1685）正月，在保和殿御試，交卷後，皇上與修撰蔡元升談話，至天暮，命侍衛執燈伴送，這已是很例外的事了。

宮廷所用各式彩蠟

後宮長街石座路燈

清代晚期，由於普遍使用玻璃，這些路燈上的銅絲門壁改用玻璃，既防風又明亮，那時安的玻璃上，中間畫有紅色大圓「壽」字，四角各畫一隻紅色蝙蝠，象徵福壽。這是只有皇宮內才能設置的路燈，王府和其他地方是不准設置的。乾隆寵臣和珅在嘉慶登基伊始被定罪抄家，罪狀之一就是違例在府內設有這樣的路燈。

後宮西二長街夜景

宮燈

內廷各宮殿室內的燈具設置琳琅滿目。以咸豐二年(1852)所立的養心殿三殿燈賬為例，其中僅東暖閣就安掛燈四十五座，十五種樣式。乾隆曾作詩詠燈:「騰輝照綺席，散彩當珠殿。馥馥博山香，遲遲玉漏箭。影射桃笙流，華映須絢。九枝非所貴，分陰誠可羡。方勵焚音志，敢卜通宵妄。剪檠閲奏章，毋使目光眩。」為了剪蠟燭心，燈具中設有剪燭罐。

每逢年節，各殿還要增設燈具。每年正月十五日為燈節，是一次賞燈晚會。所懸燈做成鳥獸或花果狀，上糊白紗，繪有彩畫。還有鰲山燈、龍燈，長有 5 尺，十個太監用竹竿支着，前邊一人執一燈珠，取龍戲珠之意。説明在當時雖然只是以蠟燭採光，但經過巧匠的精心設計，其裝

畫琺瑯蠟台

坤寧宮內牛角質地座燈

金漆座燈

飾藝術效果和現在的五彩電燈都頗相似。

以上說的這些燈具都是以放蠟燭的蠟阡為中心，燈罩裝飾則千變萬化，主要是用雕竹、雕木、鏤銅及金屬做成框架，外糊紗絹，再加羊角或玻璃。有的在燈罩上方加置華蓋，燈下加掛垂錦以及珠玉金銀穗墜，有的還在燈罩四周懸掛吉祥雜寶流蘇瓔珞。因不同的用途做成各種形式：放在桌上的叫桌燈或座燈；掛在屋頂下的叫掛燈；高架支在地上的叫戳燈；拿在手中用於室外的叫把燈；提在手裏引路的叫路燈；等等。宮內熟皮作（武備院南鞍庫下屬機構）有燈匠可以製燈，所用流蘇、瓔珞等，亦係自作。

楠木框葫蘆挑桿戳燈

紫檀框詩畫宮燈

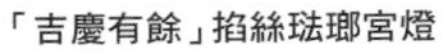
「吉慶有餘」掐絲琺瑯宮燈

掐絲琺瑯桌燈

紫檀框梅花式宮燈

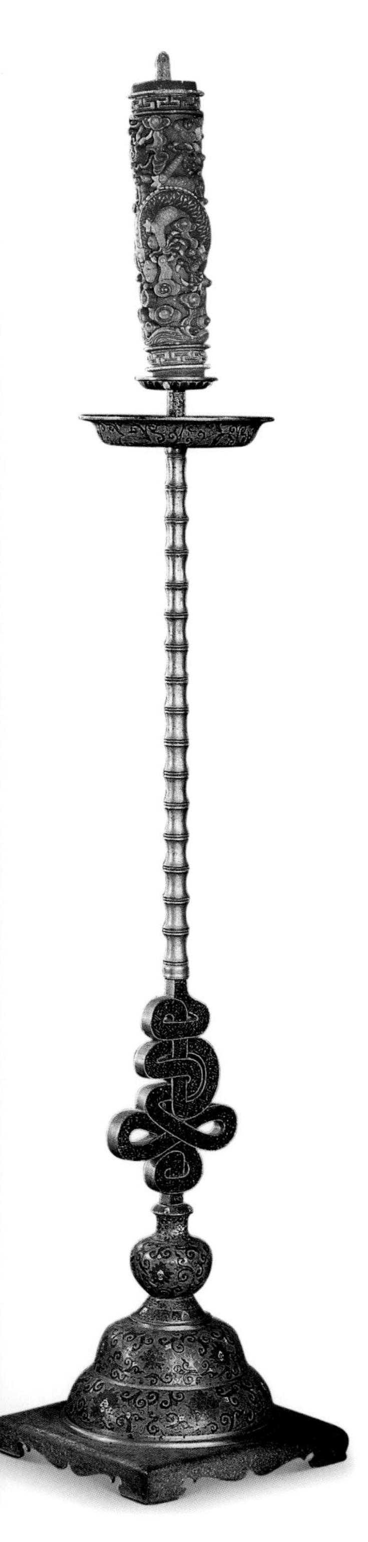

掐絲琺瑯祝壽落地蠟台

藍料宮燈

「年年有餘」宮燈

掐絲琺瑯油畫玻璃宮燈

附錄

紫禁城宮殿建築大事年表

1406 年

明永樂四年閏七月

永樂帝下詔以明年五月建北京宮殿，為此遣官員到各地籌工備料，並徵集工匠、軍士和民丁限期明年五月趕抵北京聽役。

1417 年

明永樂十五年二月

選派泰寧侯陳珪為主，以王通、柳升為副，營建北京宮殿。

1420 年

明永樂十八年十二月

紫禁城宮殿全部竣工。

1421 年

明永樂十九年四月

奉天（今名太和）、華蓋（今名中和）、謹身（今名保和）三殿毀於火。

1422 年

明永樂二十年閏十二月

乾清宮毀於火。

1436 年

明正統元年九月

派遣太監阮安和都督沈清、少保吳中督造奉天、華蓋、謹身三殿。

1439 年

明正統四年十二月

重建乾清宮，並遣尚書吳中祭司工之神。

1440 年

明正統五年三月

奉天、華蓋、謹身三殿和乾清、坤寧二宮竣工。

1449 年

明正統十四年十二月

文淵閣受火災，所藏之書悉為灰燼。

1475 年

明成化十一年四月

乾清門夜間發生火災。

1487 年

明成化二十三年九月

修建仁壽等宮。

1490 年

明弘治三年二月

修造隆德等殿，撥錦衣衛三百人助役。

1492 年

明弘治五年六月

大學士丘濬請於文淵閣近地別建重樓，完全用磚石砌成。將累朝實錄御製玉牒庋於樓上，並將內府的藏書庋於樓的下層。

1498 年

明弘治十一年十月

清寧宮毀於火。

1499 年

明弘治十二年十月

重建清寧宮竣工。

1514 年

明正德九年正月

正月賞燈放煙火，乾清、坤寧二宮毀於火。

明正德九年十二月

為建造乾清宮一區建築，加天下賦白銀百萬兩。

1519 年

明正德十四年八月

重建乾清、坤寧二宮。

1522 年

明嘉靖元年正月

清寧宮後三小宮發生火災。

1523 年

明嘉靖二年四月

在奉慈殿後修建觀德殿。

1525 年

明嘉靖四年三月

仁壽宮發生火災。

明嘉靖四年八月

工部會廷臣議營建仁壽宮事，同年始建仁壽宮。

明嘉靖四年十月

修理清寧宮竣工。

1526 年

明嘉靖五年七月

嘉靖皇帝傳旨工部，因初立觀德殿在奉慈殿後，事出倉促，規模窄隘，今擬在奉先殿東側，別建一殿名為崇先殿，以便奉安皇考恭穆獻皇帝神位（嘉靖皇帝生父），同年開工營建。

1527 年

明嘉靖六年三月

崇先殿建成。

1531 年

明嘉靖十年六月

雷擊午門上角亭垂脊及西華門城樓西北角柱。

1534 年

明嘉靖十三年九月

在文華殿後建九五齋、恭默室為祭祀齋居之所。

1535 年

明嘉靖十四年五月

重建未央宮，並修建欽安殿以祀真武，殿前建天一門及圍牆。同年改十二宮名，長安宮為景仁宮、長樂宮為毓德宮（今名永壽宮）、永寧宮為承乾宮、萬安宮為翊坤宮、咸陽宮為鍾粹宮、壽昌宮為儲秀宮、長壽宮為延祺宮（後改延禧宮）、未央宮為啟祥宮、永安宮為永和宮、長春宮為永寧宮（今名長春宮）、長陽宮為景陽宮、壽安宮為咸福宮、咸熙宮為咸安宮。

1536 年

明嘉靖十五年四月

在清寧宮後半地建慈慶宮為太皇太后一區，同時以仁壽宮故址並撤大善殿營建慈寧宮，為太后宮一區。

明嘉靖十五年十一月

文華殿原用於太子出閣，設座於中殿，因此是綠色琉璃瓦；至此改為皇帝設經筵之所，改易黃色琉璃瓦。

1537 年

明嘉靖十六年四月

嘉靖皇帝下詔增修內閣。

明嘉靖十六年五月

清寧宮膳房、端敬殿、御食館、元輝殿、方殿、省愆居、理辦房及內神廚門等工程俱完。並建聖濟殿於文華殿後以祀先醫。

明嘉靖十六年六月

新建養心殿竣工。

1538 年

明嘉靖十七年七月

慈寧宮一區宮殿竣工。

1539 年

明嘉靖十八年正月

奉先殿竣工。

明嘉靖十八年十月

永壽宮竣工。

1540 年

明嘉靖十九年十一月

慈慶宮、本恩殿、二號殿、三號殿全部竣工。

1557 年

明嘉靖三十六年四月

十三日雷雨大作，戌刻火光驟起由奉天殿（今名太和殿）延燒及謹身（保和）、華蓋（中和）二殿，文樓（今名體仁閣）、武樓（今名弘義閣），奉天（今名太和）、左順（今名協和）、右順（今名熙和）及午門等門共有二殿二樓十五門全部毀於火。

明嘉靖三十六年十月

為重建奉天等殿以及午門、太和門興工，嘉靖皇帝親告大高玄殿。

1558 年

明嘉靖三十七年六月

新建午門、太和門、東西角門、左右順門等門竣工。嘉靖皇帝下旨太和門權名更大朝門，其餘各殿、樓、門等總待竣工後降制。

1562 年

明嘉靖四十一年九月

嘉靖皇帝下旨，奉天殿更名皇極殿（今名太和殿），謹身殿更名建極殿（今名保和殿），華蓋殿更名中極殿（今名中和殿）；另文樓為文昭閣（今名體仁閣），武樓為武成閣（今名弘義閣），左順門為會極門（今名協和門），右順門為歸極門（今名熙和門），奉天門（即大朝門）為皇極門（今名太和門），東角門為弘政門（今名昭德門），西角門為宣治門（今名貞度門）。

1566 年

明嘉靖四十五年六月

雷禮奉旨建玄極寶殿，同年九月竣工，以奉嘉靖皇帝之父睿宗。

1567 年

明隆慶元年四月

修理景仁宮鑄給監工科道關防。隆禧殿更名英華殿。

1569 年

明隆慶三年閏六月

修理乾清宮殿宇及廊廡。

明隆慶三年十一月

修理承乾、永和二宮。

1570 年

明隆慶四年二月

隆慶皇帝命工部於道心閣、精一堂、臨保室舊址重建隆道閣、仁德堂、忠義室。

1573 年

明萬曆元年九月

修理午門正樓。

明萬曆元年十一月

慈寧宮後台毀於火。

1575 年

明萬曆三年五月

修造慈寧宮暖閣仙橋。

1578 年

明萬曆六年

添蓋臨溪館（今名臨溪亭）一座。

1580 年

明萬曆八年四月

皇極門（今名太和門）明樑損壞，命部議修換。

明萬曆八年閏四月

皇極門開工。

明萬曆八年六月

皇極門竣工。

1583 年

明萬曆十一年二月

萬曆皇帝下詔修武英殿，所用的工料銀於節慎庫內支出。庚戌日興工，並遣楊巍祭告。

明萬曆十一年五月

臨溪館更名為臨溪亭；咸若亭更名為咸若館。

明萬曆十一年八月

辛酉以武英殿竣工遣尚書楊兆祭后土司工之神。

明萬曆十一年九月

拆毀四神祠和觀花殿，疊石為山，中作石門，匾為堆秀，山上建亭名御景亭。御花園東西建魚池，池上建浮碧、澄瑞二亭，還有清望閣、金香亭、玉翠亭、樂志齋、曲流館等。並以修宮後苑工程竣工，遣尚書楊兆祭后土司工之神。

明萬曆十一年十二月

慈寧宮夜一更發生火災。

1584 年

明萬曆十二年二月

萬曆皇帝上諭內閣，慈寧宮係聖母御居，工部會同內官監，要上緊鼎新毋得延緩。

1585 年

明萬曆十三年二月

營建慈寧宮，並遣尚書楊兆祭告后土司工之神。

明萬曆十三年六月

慈寧宮竣工。

1591 年

明萬曆十九年

宮後苑（即御花園）清望閣、金香亭、玉翠亭、樂志齋、曲流館拆毀。

1594 年

明萬曆二十二年四月

修理紫禁城的城垣，遣尚書衷貞吉祭告後土司工之神。

明萬曆二十二年六月

雷雨大作，西華門城樓發生火災。

1596 年

明萬曆二十四年三月

是日戌刻，火發自坤寧宮，延及乾清宮，一時俱燼。

明萬曆二十四年七月

萬曆皇帝命欽天監擇日鼎建乾清宮。

明萬曆二十四年閏八月

西華門城樓竣工。

1597 年

明萬曆二十五年正月

鼎建乾清、坤寧二宮興工，祭告后土司工之神。

明萬曆二十五年六月

三大殿發生火災，至是火起歸極門（今名協和門）延至皇極（今名太和殿）等殿，文昭（今名體仁閣）、武成（今名弘義閣）二閣，周圍廊廡一時俱燼。

1598 年

明萬曆二十六年七月

重建乾清宮、交泰殿、坤寧宮東西暖殿披房、斜廊和乾清、日精、月華、景和、隆福等門，周圍廊廡一百一十間，並有神霄殿、東裕庫、芳玉軒全部竣工，並包括做豎櫃二百四十座、板箱二千四百件，通共用銀七十二萬兩。

明萬曆二十六年十一月

隆宗門興工。

1600 年

明萬曆二十八年八月

慈慶宮竣工。

1603 年

明萬曆三十一年四月

慈慶宮花園等處竣工，遣侍郎周應賓行祀土禮。欽天監擇定十六日皇極、中極、建極三大殿開始清理地基。

1608 年

明萬曆三十六年九月

會極（今名協和門）、歸極（今名熙和門）二門上樑。

1615 年

明萬曆四十三年閏八月

皇極、中極、建極三大殿開始重建。

1616 年

明萬曆四十四年十一月

隆德殿災。

1620 年

明泰昌元年八月

皇極門興工。

明泰昌元年十月

噦鸞宮災。

1625 年

明天啟五年二月

天啟皇帝命御史崔呈秀巡視三大殿及各門廡工程。弘政（今名昭德門）、宣治（今名貞度門）二門開工。

1626 年

明天啟六年九月

皇極殿（今名太和殿）竣工，天啟皇帝在該殿受百官行慶賀禮。

1627 年

明天啟七年三月

隆德殿興工。

明天啟七年四月

內官監李永賢題本隆德殿竣工。

明天啟七年八月

禮部奏三大殿工程告竣，請擇吉日臨御。己酉工部奏三大殿自天啟五年二月二十三日起興工，至七年八月初二報竣。

1645 年

清順治二年五月

定紫禁城前朝殿名為太和殿、中和殿、保和殿、太和門、昭德門、貞度門、協和門、雍和門（今名熙和門）、中左門、中右門、體仁閣、左翼門、弘義閣、右翼門、後左門、後右門等。重建乾清宮。

1647 年

清順治四年

奉順治皇帝旨意重建午門。

1653 年

清順治十年

重建慈寧宮為皇太后所居。

1655 年

清順治十二年

重修內宮各殿，有乾清宮、交泰殿、坤寧宮、乾清門、景運門、隆宗門及坤寧門。又重修景仁宮、承乾宮、鍾粹宮、永壽宮、翊坤宮、儲秀宮等。

1657 年

清順治十四年

順治皇帝敕建奉先殿，前後殿各七間。

1669 年

清康熙八年

重建太和殿和乾清宮。

1672 年

清康熙十一年閏七月

工部尚書吳達禮等奏稱重修三大殿院、後崇樓，太和殿斜廊、平廊，保和殿斜廊平廊及圍房，中左、中右門、後右、後左門拆卸，屋頂宽瓦油飾彩畫已竣工。

1673 年

清康熙十二年

重建交泰殿、坤寧宮及景和、隆福二門。

1679 年

清康熙十八年

重修奉天殿。建太子宮，正殿為惇本殿，殿之後為毓慶宮；前為祥旭門。太和殿災。

1682 年

清康熙二十一年

改建咸安宮（今名壽安宮）。

1683 年

清康熙二十二年

重建文華殿，並重修啟祥宮（今名太極殿）、長春宮、咸福宮。

1685 年

清康熙二十四年

建傳心殿於文華殿之東。

1686 年

清康熙二十五年

重修延禧宮、景陽宮。

1688 年

清康熙二十七年

建寧壽宮。

1695 年

清康熙三十四年

重建太和殿。

1697 年

清康熙三十六年

重修承乾宮、永壽宮，並在坤寧宮左右建暖殿。

1698 年

清康熙三十七年

太和殿工程竣工。

1726 年

清雍正四年

在紫禁城內西北隅，雍正皇帝敕建城隍廟。

1731 年

清雍正九年

奉雍正皇帝旨意於東一長街之南仁祥、陽曜二門之中建齋宮。

1734 年

清雍正十二年九月

修建慈寧宮一區呈覽畫樣，拆卸舊有宮殿房屋八十六間，牆垣一百八十八丈七尺，新添建宮殿大小房屋二百二十三間，工料共約需白銀六萬九千餘兩。

1735 年

清雍正十三年十二月

新建壽康宮興工。

1736 年

清乾隆元年十月

乾隆皇帝閱視壽康宮工程。壽康宮竣工。壽康宮一區包括前後殿周圍廡房、門等大小殿座二百八十八間，院牆二百三十三丈五尺、地面一千二十丈六尺二寸及影壁、路燈、鐵太平缸等附屬設施共實用銀七萬四千一百二十三兩六錢九分八釐，用赤金一百八十八兩七錢。

1737 年

清乾隆二年

重修奉先殿。

1740 年

清乾隆五年

興建撫辰殿、建福宮、惠風亭等及建福宮花園（俗稱西花園）。1923 年 6 月 26 日夜，敬勝齋失火，延燒延春閣、靜怡軒、慧曜樓、吉雲樓、碧琳館、妙蓮花室、凝暉堂及花園南的中正殿等，皆毀於火。

1743 年

清乾隆八年

改建毓慶宮，包括正殿、後殿後罩房、圍房、值房及門等項工程，共用白銀四萬八千九百八十餘兩。

1745 年

清乾隆十年

重華宮修蓋殿宇前接抱廈等，欽安殿內油飾彩畫過色見新，永壽宮後殿改安裝修，咸福宮加高牆垣等項共用銀二萬五千六百餘兩。

1746 年

清乾隆十一年三月

擷芳殿改建為三所興工（即為皇子住的南三所）。

1747 年

清乾隆十二年

在乾清門外左右建直廬各十二間（今名九卿房和軍機處），又於直廬南面各建坐南向北五間軍機章京值房和蒙古王公值房。南三所竣工。

1750 年

清乾隆十五年

建造雨花閣一座，連兩邊值房二座，計十四間，諸旗房四座計十二間，挪蓋凝華門一座、琉璃門二座及其他室內裝修和室外設備工程。除舊料抵銷銀外，實用工料所用白銀二萬二千五百三十三兩有多，用赤金一百九十六兩八分一釐。

1751 年

清乾隆十六年

改建咸安宮更名壽安宮，又重修慈寧宮。

1754 年

清乾隆十九年

海望、三和等管工大臣奏稱遵旨御花園將養性齋改建為轉角樓一座計十三間，大小月台二座、鑲墁花斑石、安砌漢白玉石欄杆十六堂等。

1758 年

清乾隆二十三年四月

二十八日午時，太和殿院廡房綠皮庫失火，延燒至貞度門、衣服庫、熙和門，共燒毀房屋四十一間。

清乾隆二十三年十二月

遵照乾隆皇帝旨意修建熙和門一座計五間，北山圍房一座計十三間，重簷方樓一座（太和殿西南崇樓）四面各顯三間，貞度門一座計三間，西山圍房一座計六間，弘義閣南山圍房一座計十間及院內其他維修工程，全部竣工，總共用白銀十萬三千九百四十三兩。

1759 年

清乾隆二十四年

在東華門內石橋迤北建琉璃門三座。

1760 年

清乾隆二十五年

奉乾隆皇帝旨將廣儲司、兆祥所、尚衣監改建為皇子住房，共有三百六十間。又重修咸安宮官學二十七間。

1761 年

清乾隆二十六年

重築保和殿後三台下層御路。

1762 年

清乾隆二十七年

奉乾隆皇帝旨將神武門內東長房一百二十一間改為皇孫住房。重修文華殿。

1763 年

清乾隆二十八年二月

修理保和殿、中和殿、太和殿後簷、欄板和望柱等工程。

1765 年

清乾隆三十年

重修太和殿、中和殿、保和殿。慈寧宮花園內添建後樓（慈蔭樓）、配樓兩座（吉雲樓和寶相樓）、臨溪亭前東西配殿、間等，重修咸若館。以上統計添建和改建殿宇樓房十一座共五十六間，以及拆改附屬建築和其他設施，共需白銀五萬九千四百五十二兩。

清乾隆三十年四月

紫禁城內城隍廟正殿、馬神廟、山門、順山房大木歪閃俱打牮撥正，拆窓配殿頂四座計十二間，並拆蓋挪省牲房三間，拆改門一座及其他附屬建築，共估計白銀九千一百八十餘兩。

1766 年

清乾隆三十一年五月

重修南三所、茶飯房、淨房、井亭、門罩，琉璃門共一百四十座，統計二百九十二間，以及其他一些附屬建築物，共需估白銀三千九百餘兩。

1767 年

清乾隆三十二年十二月

慈寧宮由單簷改建為重簷大殿，並挪蓋後殿，拆改宮門，改建前後廊及左右二門及垂花門二座，四週轉角圍房、月台甬路、牆垣等項工程，共需估工料白銀十萬八千七百四十四兩。

1770 年

清乾隆三十五年十一月

修建寧壽宮殿宇節次燙樣。

1771 年

清乾隆三十六年

奉乾隆皇帝特旨重修寧壽宮一區殿宇。

1772 年

清乾隆三十七年

內務府英廉、劉浩、四格管理寧壽宮工程大臣奏稱，寧壽宮一區後路養性殿仿養心殿，樂壽堂仿長春園淳化軒式樣，殿宇大木俱已齊備，擬請擇日上樑，經欽天監擇得本年九月十六日戊申宜用辰時上樑吉。內務府奏稱，寧壽宮工程殿座高大，大件物料多，非經年能告竣。酌擬分年次第修造。得先造後路各殿座。今據建造寧壽宮後路養性殿、樂壽堂、頤和軒、景祺閣及西路花園擷芳亭、禊賞亭、倦勤齋等，除楠木、杉木、架木、金磚並顏料飛金銅錫、綾絹向各處徵用以外，需工料白銀七十一萬九千三百五十七兩。

1774 年

清乾隆三十九年

乾隆皇帝敕建文淵閣於文華殿之後，為藏《四庫全書》之所。包括碑亭一座、閣前水池及單券石橋和閣後堆造雲步山石、值房等。

1776 年

清乾隆四十一年

寧壽宮一區工程竣工。後經內務府大臣英廉、和珅於乾隆四十四年三月初一日奏稱：修建寧壽宮各殿宇、樓台房座、前後路共計一千一百八十三間，並成堆各處山石俱已如式成修完竣，除各項舊料抵用核除價值並官辦松木價銀扣除外，實需白銀一百二十七萬三百四十兩。

1783 年

清乾隆四十八年六月

體仁閣災。

清乾隆四十八年七月

重建體仁閣，工料按例需銀四萬一千一百七十一兩。

1790 年

清乾隆五十五年

擬重建菓房、銀庫值房等，通共約需白銀五千五百二十一兩。

1795 年

清乾隆六十年二月

奉乾隆皇帝旨將毓慶宮殿前大殿一座（即惇本殿）計五間及配殿及祥旭門俱往前挪蓋，並添蓋圍房六間，拆去值房十一間，改蓋值房六間，後罩殿前添蓋遊廊六間，罩殿東山添蓋抱廈一間等項工程呈燙樣。

1797 年

清嘉慶二年

乾清宮發生火災延及交泰殿和宏德、昭仁二殿，全部毀於火。重建乾清宮、交泰殿和乾清宮東西昭仁、宏德二殿。

1798 年

清嘉慶三年

乾清宮、交泰殿及乾清宮兩邊昭仁殿、宏德殿竣工。

主要參考文獻

《大明會典》
[明] 申時行等重修
明萬曆年刊本。

《明史》
[清] 張廷玉等撰
中華書局，1974 年第一版。

《明實錄》
江蘇圖書館傳抄本
1940 年。

《明宮史》
[明] 劉若愚著
北京古籍出版社，1980 年。

《明會要》
[清] 龍文彬撰
光緒年刊本。

《春明夢餘錄》
[清] 孫承澤撰
光緒九年刊本。

《天府廣記》
[清] 孫承澤撰
北京出版社，1962 年。

《萬曆野獲編》
[明] 沈德符著
中華書局，1959 年。

《清史稿》
趙爾巽等修
中華書局，1977 年第一版。

《大清會典》
清雍正年刊本。

《欽定大清會典事例》
[清] 托津等撰
清嘉慶年刊本。

《東華錄》
[清] 王先謙撰
長沙王氏刊本。

《大清會典事例》
清光緒年印本。

《國朝宮史》
[清] 于敏中等撰
東方學會據乾隆版鉛印本，
1925 年。

《國朝宮史續編》
[清] 慶桂等編
故宮博物院，1932 年。

《欽定內務府現行則例》
故宮博物院，1937 年。

《順天府志》
[清] 繆荃孫等纂修
清光緒年刊本。

《畿輔通志》
[清] 黃彭年等纂
光緒年刊本。

《日下舊聞》
[清] 朱彝尊撰
康熙二十七年刊本。

《日下舊聞考》
[清] 于敏中等編纂
乾隆四十三年刊本。

《金鰲退食筆記》
[清] 高士奇著
北京古籍出版社，1980 年。

《天咫偶聞》
[清] 震鈞著
光緒年刊本。

《宸垣識略》
[清] 吳長元輯
光緒年刊本。

《翁文恭日記》
[清] 翁同龢撰
上海涵芬樓影印本 1952 年。

《工程作法》
清雍正九年纂
乾隆元年刊本。

《內庭工程作法》
清雍正九年纂
乾隆元年刊本。

《清故宮文淵閣實測圖說》
梁思成、劉敦楨著
《中國營造學社匯刊》第六卷
第二期。

《清皇城宮殿衙署圖年代考》
劉敦楨著
《中國營造學社匯刊》，第六卷
第三期。

《故宮》
單士元著
《文物參考資料》，1957 年第
一期。

《元大都城平面規劃述略》
王璞子著
《故宮博物院院刊》總第二期，
1960 年。

《故宮三大殿》
于倬雲著
《故宮博物院院刊》，總第二期，
1960 年。

《文淵閣》
單士元著
《故宮博物院院刊》，1979 年第
二期。

《太和門》
王璞子著
《故宮博物院院刊》，1979 年第
三期。

《故宮午門彩畫的復原》
王義章著
《故宮博物院院刊》，1979 年第
四期。

《乾隆花園的造園藝術》
于倬雲、傅連興著
《故宮博物院院刊》，1980 年第
三期。

《紫禁城宮殿屋頂式樣》
賈俊英、鄭連章著
《故宮博物院院刊》，1980 年第
三期。

《慈寧宮花園》
茹競華、鄭連章著
《故宮博物院院刊》，1981 年第
一期。

《建福宮花園遺址》
傅連興、白麗娟
《故宮博物院院刊》，1980 年第
三期。

《紫禁城》
北京故宮博物院雜誌社編
《紫禁城》第一期至第十二期
（1980—1982 年）。

出版說明

紫禁城，今又稱故宮，位於中國北京。原是明、清兩代的皇宮，也是當時的政治中樞。凡四百九十一年，共二十四個皇帝，曾在這裏發號施令，主宰全國。長久以來，這裏代表了權威，也充滿了神秘。

中國古典建築的最大特色是以宮室為中心。二十世紀以前，無論技術和藝術，基本表現在帝皇所用的宮殿、園囿之上。所以宮殿建築成為欣賞和研究中國傳統建築技術和藝術的典範。中國歷史上雖曾有過不少著名的宮殿建築，但迄今尚保存完整的，只有紫禁城宮殿。它不僅是中國現存規模最大的古建築群，也是世界上無以倫比的古代宮殿建築群，是人類文明史上的不朽傑作。

為了全面揭開紫禁城宮殿的面貌，使人對之有廣泛和深入的認識；並系統介紹紫禁城宮殿的建築藝術，以此展示中國傳統建築的技術和藝術，北京故宮博物院和香港商務印書館遂合作編輯出版這部《紫禁城宮殿》（2022 年再版改名為《故宮・宮殿》）大型畫冊。

本畫冊由北京故宮博物院古建部副主任、高級工程師于倬雲先生主編，協助編撰的都是故宮有關方面的專家。文字分導論、分論及圖片説明三方面，共八萬餘字。全部圖片共 564 幀，其中正圖 467 幀（內彩圖 265 幀，黑白 202 幀），插圖 67 幀，建築墨線圖 30 幀。結構編排，除導論和附錄外，主要按建築物的使用功能、建築類型、附屬建築及設施分成三大部分。內容所及，大自整體佈局到單座宮殿，小自一樑一棟到一雕一刻，無不賅備。以有限的篇幅，容納龐大的內容，全面而集中地展示了紫禁城宮殿及其藝術。

畫冊內主要攝影圖片，是由香港和北京故宮專業攝影師合作拍攝而成。為照片的拍攝，故宮博物院予以前所未有的方便，平日參觀故宮無法看到、迄未開放的場所，都攝製了大量珍貴的圖片，初次公諸於世。並且動用了大量人力物力，為拍攝工作創造了條件，使照片的質量和構圖，都能令人一新耳目。即如絕大部分攝影照片不摻入近人近物，以保持畫面粹美，突出了原有的氣氛和風貌，這在參觀者日以萬計的紫禁城，是要克服很大困難才能做到。

畫冊內還有各類型珍貴詳盡的圖表，參考價值極高。

主編簡介

于倬雲

（1918—2004）

中國古建築專家，故宮博物院教授級高級工程師。曾任國家文物局古建工程委員會委員，1954 年調入故宮博物院，1979 年任故宮博物院古建部主任。主持設計或修復、維修的古建工程近百項。

故宮・宮殿

主　　編　于倬雲

攝　　影　高志強　胡　錘

責任編輯　陳萬雄（初版）　徐昕宇（2022 改編本）

封面設計　涂　慧

出　　版　商務印書館（香港）有限公司

香港筲箕灣耀興道 3 號東滙廣場 8 樓

http://www.commercialpress.com.hk

發　　行　香港聯合書刊物流有限公司

香港新界荃灣德士古道 220-248 號荃灣工業中心 16 樓

印　　刷　中華商務彩色印刷有限公司

香港新界大埔汀麗路 36 號中華商務印刷大廈

版　　次　2023 年 1 月第 1 版第 2 次印刷

ISBN 978 962 07 5899 7

Printed in Hong Kong